Fabliaux
du Moyen Âge

Traduction
Jean-Claude AUBAILLY

Notes et questionnaires
Brigitte WAGNEUR,
agrégée de Lettres classiques, professeur en collège

Dossier Bibliocollège
Natacha TOILLON,
certifiée de Lettres modernes, professeur en collège

Sommaire

ISBN : 978-201-270610-1

© HACHETTE LIVRE, 2015, 58, rue Jean Bleuzen, CS 70007, 92178 Vanves Cedex.
www.hachette-education.com

L'essentiel sur les auteurs

Jean Bodel a vécu à Arras (Nord de la France) à la fin du XIIᵉ siècle. C'est le plus original des trouvères. Poète et musicien, il meurt de la lèpre vers 1210.

Bodel est l'auteur de cinq pastourelles, d'une épopée, d'une pièce dramatique, d'une fable, de huit fabliaux et de *congés* (textes où il annonce à ses amis qu'il va dans une léproserie).

**JEAN BODEL
(v. 1165-v. 1210)**

- Les auteurs des fabliaux sont des trouvères ou des troubadours. Ils signent parfois leurs écrits (comme Bodel, Bernier ou Rutebeuf).

- Les trouvères (au nord de la France) et les troubadours (au sud) sont des poètes et des musiciens. Ce sont souvent des clercs (membres du clergé, lettrés et instruits).

- Ceux qui racontent les fabliaux sont souvent des jongleurs ambulants qui parfois composent leurs textes (tel Colin Muset).

Scène d'époque

Reims, fin du XIII° siècle.

Oyez, oyez, bonnes gens, aujourd'hui, en l'an de grâce 1275, spectacle de jonglerie et représentation...

... du fabliau *Les Trois Aveugles de Compiègne* écrit par maître Courtebarbe.

C'est quoi un fabliau, maman ?

C'est une petite histoire qui va nous faire rire.

Il y a toujours une moralité, petit.

Et ça parle de notre quotidien, à nous, bourgeois* !

* habitants du bourg, de la ville.

Une matere conterai
Dont le flabel vous en dirai
Je tieng le ménestrel a sage
Qui en trouver met son usage
Dont on fait fabliaus et contes.*

* « Je vais maintenant vous raconter l'histoire contenue dans un fabliau que je vais vous faire connaître. On tient pour sage un ménestrel qui met tout son art à imaginer les beaux récits... » (Extrait des *Trois Aveugles de Compiègne*).

Pourquoi c'est en vers, maman ?

Ce sont des octosyllabes, des vers de 8 syllabes. C'est ainsi que se racontent les fabliaux à notre époque.

HA! HA! HA!

HA! HA!

Le ménestrel poursuit son récit.

Or un clerc qui venait de Paris et avait plus d'un tour dans son sac...

Courtebarbe assiste ce jour-là à la représentation.

Ce ménestrel est habile car il ajoute à mon fabliau des éléments amusants.

C'est la fin du fabliau et la moralité ne se fait point attendre...

Courtebarbe ajoute en conclusion qu'à tort on porte dommage à maintes personnes. C'est ainsi que je terminerai mon conte.

Il est vraiment vilain* ce clerc, maman !

Manants, notre suzerain bien-aimé vous invite à son banquet où vous divertirez les seigneurs des environs et les dames.

Quel honneur pour notre troupe !

* *Vilain* a deux sens : « paysan » et « méchant, vil ».

Fabliaux du Moyen Âge

Les différents âges de la vie,
du nourrisson au vieillard.
Illustration du XVe siècle.

La couverture partagée

attribué à Bernier

1   Je veux vous raconter une histoire véridique[1] et je ne mentirai
pas d'un mot, car il n'est nul besoin de mentir.

Jadis, ainsi qu'on me l'a raconté, vivait dans la ville de Poitiers
un homme riche et rempli de sagesse qui aimait beaucoup ses
5   enfants. Il avait un fils qu'il adorait et je peux bien vous affirmer
que jamais nul homme ne se dévoua autant pour son enfant que
ce père le faisait. Il le comblait autant qu'il le pouvait et jamais
il ne s'en lassa. Le garçon grandit et mûrit tant et si bien qu'il
convint de le marier. Et le bonhomme, pour assurer à ce fils
10   une existence aisée, lui donna meubles et argent. Il se démit à
son profit[2] de tout ce qu'il possédait. De tout ce qu'il avait, il ne
garda guère pour lui de choses qui valussent plus de deux œufs.

Le garçon vécut heureux en ménage jusqu'à ce que sa femme
eût un fils qui se montra plus tard d'une grande sagesse. Pendant
15   longtemps son brave homme de père mena avec eux une vie
paisible jusqu'au jour où l'épouse de son fils, qui le haïssait, ne
put cacher plus longtemps son dépit[3]. Elle dit à son mari :

«Pensez-vous donc être riche ? Même si vous possédiez plus
que vous n'avez, par saint Pierre, ce vieillard finirait par vous
20   ruiner. Il ne mérite même pas ce qu'il mange. Non seulement il
ne gagne pas son pain mais, de plus, il est constamment ivre ! Et

---

Notes

1. **véridique** : conforme à la vérité.
2. **Il se démit à son profit** : il renonça à
tous ses biens en faveur de son fils.

3. **son dépit** : sa jalousie.

jamais on n'en sera débarrassé. Maintenant je vous préviens ; il n'y a pas à hésiter : ou il videra les lieux[1] ou, j'en mets ma main au feu, je le congédie[2] moi-même dès demain matin. »

25 Ce sont là les propos que lui tint sa femme, et le jeune homme lui répondit qu'il ne s'opposerait pas à ce qu'elle réclamait. Ainsi à cause de sa femme, il accepta de réduire à la misère son père qui, pour lui, s'était mis sur la paille[3].

Au matin, il entreprit de lui dire ce qu'il aurait dû taire :

30 « Beau père[4], vous êtes resté chez moi maints[5] hivers et maints étés et jamais vous n'avez cherché à faire quoi que ce soit qui eût demandé un petit effort. Vous n'avez fait que vous enivrer. Vous ne méritez plus de vivre ; allez vous cacher dans une vieille cahute[6]. Et sachez que je ne veux plus vous voir chez moi, car il

35 n'y a pas en vous la moindre parcelle[7] de raison. »

Quand le père l'entendit parler ainsi, il en fut atterré[8] et profondément attristé ; accablé par le chagrin, il ne pouvait prononcer un mot. Il resta longtemps ainsi puis finit par dire en pleurant :

40 « Beau fils[9], je t'ai élevé, et sache bien que jamais je ne t'ai causé de souci pour me nourrir ; et sache encore que, pour t'être agréable, je t'aurais comblé d'or et d'argent si cela n'avait dépendu que de moi. Maintenant, tu veux me chasser et je ne sais même pas où aller. Le jour où je me suis entièrement démuni[10]

45 pour toi, j'ai perdu et mes biens et mes amis. Mais je veux au moins te demander une chose puisque personne ne peut le faire pour moi : je suis vieux et faible ; puisque tu veux me chasser de ta maison, donne-moi au moins une robe. Je n'ai plus ni

---

Notes

1. **il videra les lieux** : il partira.
2. **je le congédie** : je le chasse.
3. **s'était mis sur la paille** : s'était ruiné.
4. **Beau père** : formule de respect.
5. **maints** : nombreux.
6. **une cahute** : une cabane.

7. **la moindre parcelle** : la plus petite partie de, le plus petit fragment de.
8. **il en fut atterré** : il en fut accablé, abattu.
9. **Beau fils** : formule de respect.
10. **je me suis entièrement démuni** : je me suis entièrement dépouillé.

chausses[1], ni souliers. Me faire partir dans cet état serait une
bien mauvaise action. »

Et le fils répondit :

« Je me moque de tout cela. Vous êtes encore plein de malice !
Je suis excédé[2] de vous voir encore vivre ! Ne comptez pas sur
moi pour vous faire du bien ou pour subvenir à vos dépenses[3].

– Beau fils, donne-moi une vieille robe parmi celles que tu ne
portes plus ou une des vieilles couvertures dont tu te sers pour
couvrir les chevaux. Et ensuite fais ouvrir ta porte : je partirai
quand il te plaira et tu n'entendras plus jamais parler de moi.

– Ah ! fit-il, je ne peux vous le refuser. Allez dire à mon fils de
vous donner une vieille housse[4] de cheval et couvrez-vous-en
de la tête aux pieds. »

Le brave homme s'en alla sans plus attendre trouver son petit-
fils qui soignait les chevaux. Il lui dit qu'il lui fallait partir et il
lui raconta la dispute que lui avait faite son père.

« Mais toutefois, ajouta-t-il, il n'a pu refuser de me donner une
vieille couverture de cheval. Beau fils, sachez qu'il m'a chargé
de vous dire de me donner la plus grande. Veillez à ne pas lui
désobéir ! »

Quand l'enfant l'entendit lui raconter cela, il en fut saisi
d'étonnement, de tristesse et de colère : « Eh bien, allez dire à
mon père que vous n'avez pas eu gain de cause[5] : vous n'aurez
que la moitié de la couverture, je vous le certifie. Pour ce qui
est de l'autre, je refuse de vous la donner. »

Quand le brave homme entendit cette réponse, il en ressen-
tit une si grande douleur qu'il aurait aimé en mourir sur-le-
champ. Il revint en courant trouver son fils :

Notes

1. **chausses** : culotte.
2. **Je suis excédé** : je suis exaspéré.
3. **pour subvenir à vos dépenses** : pour vous fournir ce qui vous est nécessaire.

4. **une vieille housse** : une vieille couverture.
5. **vous n'avez pas eu gain de cause** : vous ne l'avez pas emporté, vous n'avez pas réussi.

«Beau fils, lui dit-il, si tu veux faire respecter tes ordres, il te faut venir avec moi dans l'étable, car ton fils s'y oppose ; il a déclaré fermement que je n'en aurais que la moitié. Je ne sais pour quelle raison. Mais puisque tu veux me chasser, aie au moins la bonté de me la faire avoir en entier.»

Le fils, qui redoutait que les choses ne traînent en longueur, lui répondit :

«Vous l'aurez toute, quelles que soient les intentions du garçon.»

Et il dit à son fils :

«Il me déplaît que tu m'aies désobéi.»

Le garçon lui répondit alors :

«Mais je n'ai pas mal agi ! Au contraire, je pense avoir de bonnes raisons. Et je vais vous dire tout de suite pourquoi je ne veux pas lui donner la couverture avant de l'avoir partagée. Savez-vous pourquoi je l'ai coupée et pourquoi j'en ai gardé une moitié ? C'est vous, si j'en ai le pouvoir, qui l'userez quand vous aurez son âge. Et je ne vous mens pas : je vous habillerai de la même manière que vous habillez votre père qui paie bien cher toute la peine qu'il a prise pour vous. Regardez : il n'a ni robe, ni chemise ! Vous l'avez bien mauvaisement[1] récompensé ! Je vous taillerai un habit dans le même drap[2] !»

En entendant ainsi parler son fils qui raisonne des plus sainement[3], le père est rempli d'étonnement et de honte :

«Cher fils, lui dit-il, j'ai bien mal agi mais, Dieu me pardonne, tu m'as ouvert les yeux et je t'en remercie. Maintenant, il ne me reste plus qu'à supplier mon père, au nom de Dieu, de bien vouloir me pardonner cette grande faute et de me donner sa bénédiction.»

Notes

1. mauvaisement : mal.
2. Je vous taillerai un habit dans le même drap : j'agirai de la même façon envers vous.

3. des plus sainement : très sagement.

Le prudhomme[1] lui pardonna tout et son fils aussitôt lui rendit tous les biens et le bétail de la maison que le brave homme géra[2] à son gré[3], lui qui aurait pu souffrir un terrible martyre si l'enfant qui avait refusé de lui donner la couverture, n'avait rien dit.

Par cet exemple, je veux vous montrer que celui qui donne tout ce qu'il possède à son fils, est loin d'être sage mais commet plutôt une folie. Nul ne peut plus agir à son gré si son avoir[4] est confondu[5] avec celui d'un autre car alors il devient dépendant de lui. Utilisez vous-même ce que vous possédez, à votre gré et sans en référer à[6] personne. C'est ainsi que je conclurai mon conte.

Sur cette enluminure du XIIIe siècle, une famille est regroupée autour du foyer, lieu privilégié pour raconter des histoires, filer la laine… ou s'assoupir.

Le vilain de Farbus

par Jean Bodel

1   Seigneurs, un jour du temps jadis, il arriva qu'un vilain[1] de Farbus[2] devait aller au marché ; sa femme lui avait donné cinq deniers[3] et quelques mailles[4] pour les employer ainsi que vous allez m'entendre le raconter : trois mailles pour un râteau, deux
5   deniers pour un gâteau qu'elle voulait tout chaud et croustillant, et trois deniers pour ses dépenses. Elle mit cet argent dans sa bourse et, avant que de le laisser partir, elle lui fit le décompte[5] de ses dépenses : un denier tout rond pour des petits pâtés et de la cervoise[6], compta-t-elle, et deux deniers pour le pain, ce se-
10   rait suffisant pour son fils et lui. Alors le vilain sort par la porte du jardin et se met en route. Il emmène avec lui son fils Robin pour l'initier à[7] la vie et aux coutumes du marché.

    Au marché, devant une forge, un forgeron avait laissé traîner, comme s'il était à l'abandon, un fer encore chaud pour trom-
15   per les fourbes et les niais[8] qui, souvent, s'y laissaient prendre. Le vilain, en l'apercevant, déclara tout de go[9] à son fils qu'un fer était une bonne aubaine[10]. Robin s'agenouilla près du fer

---

Notes

1. **un vilain** : un paysan.
2. **Farbus** : petit village de l'Artois, près d'Arras, dans le nord de la France.
3. **deniers** : unité monétaire au Moyen Âge.
4. **mailles** : pièces de la plus faible valeur.
5. **le décompte** : le compte, le calcul de détail.

6. **la cervoise** : la bière.
7. **pour l'initier à** : pour lui faire découvrir, pour lui apprendre.
8. **les fourbes et les niais** : les voleurs et les sots.
9. **tout de go** : sans détour.
10. **une bonne aubaine** : une chance, une bonne occasion.

et le mouilla en crachant dessus : le fer, qui était chaud, se mit à bouillir avec une grande effervescence[1]. Quand Robin vit le fer aussi chaud, il se garda bien de le toucher et s'en alla en le laissant en place. Le vilain, qui était ignorant, lui demanda pourquoi il ne l'avait pas pris.

«Parce qu'il était encore tout brûlant, le fer que vous aviez trouvé !

– Comment t'en es-tu rendu compte ?

– Parce que j'ai craché dessus et qu'il s'est mis immédiatement à frire et à bouillir ; or il n'y a sous le ciel aucun fer chaud qui, si on le mouille, ne se mette à bouillir : c'est ainsi qu'on peut le savoir.

– Eh bien, tu m'as appris là une chose que j'apprécie beaucoup, fit le vilain, car souvent je me suis brûlé la langue ou le doigt en attrapant quelque chose mais quand, dorénavant, le besoin s'en fera sentir, je m'y prendrai comme tu l'as fait.»

Ils arrivèrent alors devant un étal[2] où l'on vendait du pain, du vin, de la cervoise, des petits pâtés et bien d'autres choses. Robin, qui était très gourmand, déclara aussitôt qu'il voulait en avoir. Ils firent le compte de leur argent et trouvèrent les cinq deniers et les mailles. Ils dépensèrent sans la moindre retenue trois deniers pour leur déjeuner après quoi il ne leur resta plus qu'à prendre le chemin du retour. Ils achetèrent un râteau pour trois mailles et un gâteau mal travaillé et plein de grumeaux pour deux deniers. Robin le mit dans son giron[3] et le vilain porta le râteau. Ils sortirent par la porte de la ville et reprirent le chemin de leur maison.

Notes

1. **effervescence** : agitation, bouillonnement.
2. **un étal** : une table où l'on expose les marchandises à vendre.

3. **dans son giron** : dans un pan de son vêtement.

45 La femme du vilain, en ouvrant la porte du jardin, les accueillit avec un visage plus renfrogné[1] qu'un plat à barbe ou une
arbalète[2] :

«Où est mon gâteau? dit-elle.

– Le voilà, répondit le vilain, mais, si vous m'en croyiez, vous
50 en feriez un morteruel[3] sur-le-champ car je meurs de faim.»

Elle allume aussitôt un feu de brindilles et s'active. Robin net-
toie la poêle. Ils se hâtent de tout préparer. Dès que la poêle se
met à bouillir, le vilain en a l'eau à la bouche. Il demande qu'on
lui mette son écuelle, celle qui est bien creuse et dans laquelle il
55 a l'habitude de manger :

«Je ne veux pas en changer car j'en ai souvent été satisfait.»

Sa femme la lui remplit pleine à ras bord. Et il ne prend pas
une cuiller plus petite que celle qu'on utilise pour tourner dans
les pots et servir; il la remplit autant qu'il le peut de morteruel
60 bouillant et crache dessus afin de ne pas se brûler, ainsi que
Robin l'avait fait sur le fer chaud. Mais le morteruel qui avait
été porté à l'ébullition sur le feu de brindilles, ne frémit pas. Le
vilain ouvre grand la bouche et y enfourne[4] d'un coup la plus
douloureuse gorgée dont il eut jamais l'occasion de se repaître[5]
65 car, avant même qu'il ait pu l'avaler, il eut la langue si brûlée, la
gorge si embrasée[6] et le tube digestif si échauffé qu'il ne put ni
cracher ni avaler et qu'il se crut aux portes de la mort. Il devint
écarlate.

«Certes, fait Robin, c'est surprenant de voir qu'à votre âge
70 vous ne savez pas encore manger!

– Ah! Robin, infâme traître, par ta faute je suis dans un tel
état que je te souhaite tous les maux possibles! Car, malheureux

---

Notes

1. **renfrogné** : fâché, mécontent.
2. **une arbalète** : arme en forme d'arc en acier, qui lance des flèches.
3. **un morteruel** : sorte de soupe épaisse et chaude faite de pain ou de gâteau et de lait.

4. **y enfourne** : y introduit.
5. **se repaître** : manger, dévorer.
6. **embrasée** : enflammée.

que je suis, je t'ai cru et j'en ai la langue complètement brûlée et l'intérieur de la bouche à vif[1] !

75 – C'est parce que vous n'avez pas correctement soufflé sur votre cuiller. Pourquoi n'avez vous pas soufflé suffisamment avant de la porter à votre bouche ?

– Mais ce matin tu n'as pas soufflé sur le fer chaud que j'avais trouvé !

80 – Non, je l'ai éprouvé[2] avec plus de sagesse : j'ai craché dessus pour le mouiller.

– J'ai fait la même chose sur ma cuiller et je me suis tout brûlé, fit le père.

– Sire, répondit Robin, par le Saint Père, au moins jamais
85 plus, à votre corps défendant[3], vous n'oublierez que le fer chaud n'est pas du morteruel ! »

Seigneurs, retenez cela : l'époque est maintenant telle que le fils donne des leçons au père et il n'est pas un jour où cela ne soit évident, ici et ailleurs, ainsi que je le pense, car les enfants sont
90 plus fins et rusés que ne le sont les vieillards chenus[4]. Le vilain de Farbus l'apprit à ses dépens.

Notes
1. à vif : avec la chair vive à nu.
2. je l'ai éprouvé : je l'ai mis à l'épreuve, je l'ai essayé.
3. à votre corps défendant : malgré vous, à contrecœur.
4. chenus : blancs de vieillesse, donc vieux et sages.

Au fil du texte

AVEZ-VOUS BIEN LU ?

1 Dans *La couverture partagée*, quelle est la situation matérielle du vieillard et à quoi est-elle due ?

2 Qui est à l'origine du renvoi du vieillard et pourquoi ?

3 Que demande le vieillard à son fils avant de partir ? Obtient-il ce qu'il demande ?

4 Dans *Le vilain de Farbus*, pourquoi le vilain se rend-il au marché avec son fils ?

5 Quelle précaution prend Robin avant de toucher le fer posé par terre ?

6 Pourquoi cette même précaution n'empêche-t-elle pas le vilain de se brûler en mangeant ?

ÉTUDIER LE VOCABULAIRE ET LA GRAMMAIRE

7 Relevez le champ lexical* de la possession dans *La couverture partagée* et le champ lexical de la gourmandise dans *Le vilain de Farbus*.

> ** champ lexical :* ensemble de termes se rattachant à un même thème.

8 Dans *La couverture partagée*, expliquez l'humour de l'expression proférée par l'enfant : *« Je vous taillerai un habit dans le même drap »* (l. 98).

9 Dans *Le vilain de Farbus*, expliquez l'image* suivante : « *La femme du vilain [...] les accueillit avec un visage plus renfrogné qu'un plat à barbe ou une arbalète* » (l. 45 à 47).

*** image :** comparaison (ou métaphore) qui établit un rapport entre deux termes afin de faire apparaître leur sens ou leur aspect communs.

ÉTUDIER LE DISCOURS

*** situation d'énonciation :** ensemble des conditions dans lesquelles un énoncé (texte écrit ou oral) est produit.

10 Qui parle à qui ? Précisez la situation d'énonciation* indiquée dans le premier paragraphe de chacun des deux fabliaux. (Appuyez-vous sur les pronoms personnels utilisés.)

11 Comment le dernier paragraphe des deux fabliaux confirme-t-il cette situation ?

ÉTUDIER LE GENRE DU TEXTE

Conte moral et conte comique

Un conte moral est un court récit destiné à transmettre une leçon.
Un conte comique est un court récit destiné à faire rire.

12 Un conte moral *(La couverture partagée)* : montrez comment ce fabliau illustre l'ingratitude des enfants et apporte à cette histoire une leçon morale.

13 Un conte comique *(Le vilain de Farbus)* : en quoi ce fabliau fait-il la satire* amusante de la bêtise du vilain ?

*** satire :** critique moqueuse et acérée.

ÉTUDIER L'ÉCRITURE

⑭ Dans *La couverture partagée*, comment et pourquoi le narrateur* ménage-t-il un effet de surprise dans la réponse de l'enfant au vieillard ?

> *** narrateur :** celui qui raconte l'histoire.

⑮ Dans *Le vilain de Farbus*, par quels procédés le narrateur ménage-t-il le suspens* lorsque le vilain s'apprête à avaler son morteruel ?

> *** suspens :** l'intérêt, l'attente, la curiosité, etc.

ÉTUDIER UN THÈME : LA SAGESSE DE L'ENFANT
OPPOSÉE À LA FOLIE DES ADULTES

⑯ Comment l'auteur met-il en valeur cette opposition dans les deux fabliaux ? Quelle conclusion en tire-t-il ?

ÉTUDIER UN THÈME : LA SATIRE DE LA FEMME

⑰ Comment est présentée la femme dans les deux fabliaux ? Qu'en pensez-vous ?

À VOS PLUMES !

⑱ Racontez, de façon amusante et morale à la fois, un épisode de votre vie où vous, ou l'un de vos frères et sœurs ou amis, vous êtes montré(e) plus avisé(e) qu'un adulte de votre entourage. Décrivez les réactions de cet adulte face à cette situation.

LIRE L'IMAGE

⑲ Observez la scène représentée sur l'illustration de la page 16. Quels sont les personnages qui y figurent et que font-ils ? Quelle(s) impression(s) se dégage(nt) de cette image ?

Dans ce détail d'un tableau du xvɪe siècle de Bruegel l'Ancien,
un groupe d'estropiés demande la charité.
Errants, vagabonds, mendiants,
ceux que l'on appelle les « sans feu, ni lieu »,
sont nombreux. Ils sont à la fois redoutés
et en partie secourus au nom de la charité chrétienne.

Estula[1]

1   Il y avait jadis deux frères qui n'avaient plus ni père ni mère
pour les conseiller et qui vivaient seuls sans la moindre compagnie. Pauvreté était leur seule amie car bien souvent elle leur
tenait compagnie et c'est là une amie qui fait souffrir plus qu'à
5 leur tour[2] ceux avec lesquels elle se trouve. Et il n'est guère de
souffrance plus pénible. Les deux frères dont je vais vous parler
demeuraient ensemble. Une nuit, mourant de faim, de soif et
de froid – maux qui harcèlent[3] souvent ceux que Pauvreté tient
sous sa coupe[4] – ils se mirent à penser au moyen de se défendre
10 contre la pauvreté qui les oppressait[5] et les faisait vivre dans un
malaise perpétuel. Un homme réputé pour sa grande richesse
demeurait près de chez eux. Eux sont pauvres et le riche est sot.
Il avait des choux dans son jardin et des brebis dans son étable.
Les deux frères se sont dirigés vers sa maison : la pauvreté fait
15 souvent perdre l'esprit. L'un a pris un sac à son cou et l'autre
un couteau à sa main. Tous les deux arrivent à pied d'œuvre[6] ;
l'un entre dans le jardin et sans plus attendre se met à couper
des choux, et l'autre se dirige vers l'étable, atteint la porte et
l'ouvre ; puis, comme il lui semble que tout va pour le mieux,

---

Notes

1. **Estula** : prononcez « es (=è)-tu-là ».
2. **plus qu'à leur tour** : plus souvent qu'il
ne convient.
3. **harcèlent** : poursuivent, tourmentent.

4. **sous sa coupe** : en son pouvoir, sous sa
dépendance.
5. **oppressait** : accablait.
6. **à pied d'œuvre** : là où ils doivent « se
mettre au travail », passer à l'action.

20 il se met à tâter les moutons pour trouver le plus gras. Mais personne n'était encore couché dans la maison de sorte que l'on entendit le bruit de la porte de l'étable quand il l'ouvrit. Le bourgeois appela son fils.

« Va voir dans le jardin s'il n'y a rien d'anormal et appelle le
25 chien. »

Le chien s'appelait Estula mais, par chance pour les deux frères, cette nuit-là, il n'était pas dans la cour. Le garçon, tout en prêtant l'oreille[1], ouvrit la porte donnant sur la cour et appela :

« Estula ! Estula ! »

30 Et celui des deux frères qui était dans l'étable répondit :

« Oui, je suis là. »

Il faisait très sombre, de sorte que le garçon ne put pas apercevoir celui qui lui avait ainsi répondu. Il crut fermement que c'était le chien qui lui avait répondu, et sans attendre, il revint
35 en courant vers la maison où il arriva tout tremblant de peur.

« Qu'as-tu donc, beau fils[2] ? lui demanda le père.

– Père, je vous le jure sur la tête de ma mère, Estula vient de me parler.

– Qui ? Notre chien ?

40 – Oui, vraiment. Et si vous ne voulez pas me croire, appelez-le vous-même : vous pourrez l'entendre. »

Le bourgeois sortit précipitamment dans la cour pour voir ce miracle et il se mit à appeler son chien Estula. Et l'autre, qui ne s'était aperçu de rien, répondit :

45 « Mais oui, je suis là. »

Le bourgeois en fut tout éberlué[3] :

« Par tous les saints et les saintes, fils, j'ai déjà entendu des choses étonnantes, mais comme celle-ci jamais ! Dépêche-toi,

---

va raconter ces merveilles au curé et ramène-le avec toi. Et dis-
50 lui d'apporter avec lui son étole[1] et de l'eau bénite[2]. »

Le garçon prit ses jambes à son cou et arriva bien vite au presbytère[3]. Sans perdre un instant, il s'approcha du prêtre et lui dit :

« Sire[4], venez chez nous ; suivez-moi vite : vous allez entendre
des choses si étonnantes que vous n'en avez jamais entendu de
55 pareilles. Prenez votre étole au cou. »

Mais le prêtre lui répondit :

« Tu es complètement fou de vouloir m'emmener dehors. Je
suis pieds nus ; je ne peux pas y aller. »

Le garçon lui répliqua :

60 « Si ! Vous viendrez : je vous porterai. »

Sans dire un mot de plus, le prêtre prend son étole, monte sur
le dos du garçon et les voilà partis. Pour arriver plus vite, le garçon descendit tout droit par le sentier qu'avaient emprunté ceux
qui étaient en quête de subsistance[5]. Celui qui était en train de
65 ramasser les choux vit arriver la silhouette blanchâtre du curé ;
il crut que c'était son frère qui revenait en portant son larcin[6] et
il lui demanda joyeusement :

« Rapportes-tu quelque chose ?

— Par ma foi, oui, répondit le garçon qui pensait que c'était
70 son père qui avait parlé.

— Alors vite, pose-le là. Mon couteau est bien émoulu[7] car je
l'ai fait affûter[8] hier à la forge ; je vais lui trancher la gorge. »

Quand le prêtre entendit cela, il crut qu'on l'avait attiré dans
un piège et, sautant des épaules du garçon, il prit ses jambes à
75 son cou, tout affolé. Mais il accrocha son surplis[9] à un pieu de

---

Notes

1. **son étole** : bande de tissu brodé que le prêtre porte autour du cou et qui est l'insigne de son pouvoir ; il s'en sert pour exorciser.
2. **de l'eau bénite** : eau qui a reçu la bénédiction du prêtre.
3. **presbytère** : habitation du curé dans une paroisse.
4. **Sire** : monsieur (titre honorifique).
5. **en quête de subsistance** : à la recherche de nourriture.
6. **larcin** : objets volés.
7. **émoulu** : affilé.
8. **affûter** : aiguiser.
9. **son surplis** : vêtement de lin plissé que les prêtres portent sur la soutane.

sorte qu'il y resta et il n'osa pas prendre le temps de le décrocher. Celui qui ramassait les choux ne fut pas moins surpris que celui qui s'enfuyait à cause de lui : il ne comprenait pas ce qui lui avait pris ! Néanmoins il alla prendre cette chose blanche qu'il voyait pendre au pieu et il vit que c'était un surplis. L'autre frère sortit alors de l'étable avec un mouton sur le dos ; il appela celui qui avait rempli son sac de choux et tous les deux, les épaules bien chargées, regagnèrent sans plus s'attarder leur maison qui n'était pas loin. Celui qui avait ramassé le surplis montra son butin[1] à son frère : tous les deux ont bien plaisanté. Ils avaient maintenant retrouvé l'envie de rire que naguère[2] ils avaient perdue.

En peu de temps Dieu accomplit son œuvre. Tel rit le matin qui pleure le soir, et tel est triste le soir qui est gai et heureux au matin.

Les perdrix

Puisque j'ai l'habitude de vous raconter des fabliaux, je veux aujourd'hui, au lieu d'une fable, vous rapporter une histoire vécue.

Un vilain¹ prit un jour, au pied de sa haie², deux perdrix. Il mit tout son soin à les préparer et les donna à sa femme pour les faire cuire. C'est une chose qu'elle savait faire parfaitement. Elle alluma le feu et prépara la broche, pendant que le vilain sortait en courant pour aller inviter le prêtre. Mais il s'attarda tant que les perdrix furent cuites bien avant son retour. La dame retira la broche et prit un peu de peau car elle était gourmande. Quand Dieu lui offrait quelque chose, elle ne souhaitait jamais la richesse, mais seulement la satisfaction de ses désirs. Elle se précipite sur l'une des perdrix et en dévore les deux ailes, puis elle va dans la rue pour voir si son mari revient. Comme elle ne l'aperçoit pas, elle rentre dans la maison et fait subir le même sort³ au morceau de la perdrix qui restait. Puis elle se dit qu'elle ne pourra pas s'empêcher de dévorer l'autre. Elle sait très bien ce qu'elle dira si on lui demande ce qu'elles sont devenues : elle dira qu'à peine elle les avait retirées du feu, des chats sont arrivés et les lui ont arrachées des mains, chaque chat emportant la sienne. Ainsi pense-t-elle, elle s'en tirera⁴. Elle retourne dans la rue

---

Notes

1. un vilain : un paysan.
2. haie : clôture faite d'arbres ou d'arbustes.

3. fait subir le même sort : c'est-à-dire qu'elle le dévore également.
4. elle s'en tirera : elle se sortira d'une situation délicate.

pour guetter son mari et ne le voyant pas venir, elle sent l'eau lui venir à la bouche[1] en pensant à la perdrix qu'elle a gardée. Elle sent qu'elle va en devenir enragée si elle n'en prend encore un petit morceau. Elle détache le cou délicatement et le mange avec délices ; elle s'en pourlèche les doigts[2].

« Hélas ! se dit-elle, que vais-je faire ? Si je mange tout, comment m'en sortirai-je ? Et comment renoncer à ce qui reste ? J'en ai une envie folle ! Ma foi, advienne que pourra[3], il faut que je la mange en entier. »

L'attente dura tant que la dame satisfit son envie. Mais le vilain ne tarda guère ; il arriva chez lui en criant :

« Oh ! Dis-moi : les perdrix sont-elles cuites ?

— Sire[4], répondit-elle, c'est la catastrophe : les chats les ont mangées ! »

Le vilain fit un bond et se précipita sur elle comme un fou et il lui aurait arraché les yeux si elle ne s'était écriée :

« C'était pour rire ! C'était une plaisanterie ! Arrière, suppôt de Satan[5], je les ai couvertes pour les tenir bien au chaud.

— Il s'en est fallu de peu que je ne vous chante une sacrée messe[6], par la foi que je dois à saint Lazare ! Vite, mon bon hanap[7] de bois et ma plus belle nappe blanche ! Je vais l'étendre sous cette treille[8] dans le pré.

— Avant, n'oubliez pas de prendre votre grand couteau qui a bien besoin d'être aiguisé. Et affûtez-le un peu sur la meule[9] dans la cour. »

Notes

1. **elle sent l'eau lui venir à la bouche :** elle est mise en appétit, elle en salive à l'avance.
2. **elle s'en pourlèche les doigts :** elle s'en lèche les doigts en signe de contentement.
3. **Ma foi, advienne que pourra :** qu'il arrive ce qui doit arriver.
4. **Sire :** monsieur (titre honorifique).
5. **suppôt de Satan :** serviteur du Diable.

6. **que je ne vous chante une sacrée messe :** que je me mette en colère contre vous.
7. **mon bon hanap :** grand gobelet pour boire.
8. **sous cette treille :** berceau de ceps de vigne soutenus par un treillage, tonnelle.
9. **sur la meule :** sur le disque servant à aiguiser.

La femme au Moyen Âge s'occupe de la maison et des enfants,
mais peut aussi exercer de nombreux métiers,
comme cette poissonnière illustrant un ouvrage du xvᵉ siècle.

Le vilain quitte sa cape et, couteau en main, se précipite vers la meule.

Voici alors qu'arrive le chapelain[1] qui venait dîner. Il vient directement vers la dame et l'embrasse doucement. Mais celle-ci se borne à lui glisser :

« Sire, sauvez-vous, sauvez-vous vite, je ne veux pas vous voir honni[2] ou maltraité devant mes yeux. Mon mari est sorti pour aiguiser son grand couteau et il dit que s'il peut vous attraper, il vous tranchera les couilles !

– Pense à Dieu, dit le prêtre : qu'inventes-tu là ? Nous devions manger deux perdrix que ton mari a attrapées ce matin. »

Et elle lui répond :

« Je vous jure par saint Martin qu'il n'y a ici ni perdrix ni oiseau d'aucune sorte. J'aurais plaisir à vous faire dîner mais je serais encore plus contrite[3] s'il vous arrivait malheur. Regardez-le, là-bas, voyez-le aiguiser son grand couteau !

– En effet, je le vois. Par mon bonnet[4], je veux bien croire que tu m'as dit la vérité. » Et, sans plus attendre, il prit ses jambes à son cou cependant que la dame se mettait à appeler :

« Sire Gombaut, venez vite !

– Qu'as-tu donc, demanda-t-il, au nom de Dieu ?

– Ce que j'ai ! Vous allez le savoir bien vite et si vous ne pouvez pas courir assez vite vous allez y perdre, car, par le respect que je vous dois, le prêtre emporte vos perdrix ! »

Rempli de fureur, le vilain se lança à la poursuite du prêtre, le couteau à la main et dès qu'il l'aperçut, il lui cria :

« Vous ne les emporterez pas ! » Et il ajouta, en hurlant par bribes[5] : « Vous les emportez toutes chaudes ! Mais vous serez bien contraint de les laisser si je vous rattrape ! Ce serait contraire à toute bonne camaraderie si vous les mangiez sans moi. »

Notes

1. **le chapelain** : le prêtre.
2. **honni** : couvert de honte, déshonoré.
3. **contrite** : je m'en repentirais, je serais encore plus chagrinée.

4. **Par mon bonnet** : juron comique.
5. **par bribes** : par morceaux de phrases séparés les uns des autres (il est essoufflé).

Le prêtre jette un coup d'œil derrière lui et voit le vilain qui accourt, le couteau à la main. Il se voit déjà mort si le vilain le rattrape. Il ne ménage pas sa peine[1] pour accélérer sa fuite. Le vilain qui pensait récupérer ses perdrix, accélère aussi l'allure mais le prêtre, d'un bond, s'est réfugié dans sa maison.

Le vilain revint alors chez lui et demanda à sa femme :

«Dis-moi, dit-il, comment as-tu fait pour te faire prendre les perdrix?» Et celle-ci lui répondit :

«Aussi vrai que je te souhaite que Dieu me vienne en aide, dès que le prêtre m'a vue, il m'a suppliée, si je l'aimais un peu, de lui montrer les perdrix, car il aurait grand plaisir à les voir. Je l'ai emmené là où je les tenais au chaud. Aussitôt, il tendit les mains, s'en saisit, et prit ses jambes à son cou. Je n'ai guère pu le poursuivre mais je vous ai tout de suite mis au courant.»

Le vilain répondit alors :

«Après tout, c'est peut-être la vérité. Laissons-le là où il est.»

Ainsi le prêtre et Gombaut, qui attrapa les perdrix, furent-ils trompés tous les deux.

Ce fabliau montre bien que la femme a été créée pour tromper : elle fait passer un mensonge pour une vérité et une vérité pour un mensonge. Celui qui fit ce fabliau n'a ici plus rien à rajouter. Ainsi se termine le «Fabliau des perdrix».

---

1. **Il ne ménage pas sa peine** : il fait tous les efforts possibles.

Au fil du texte

AVEZ-VOUS BIEN LU ?

1 Dans *Estula*, dans quelle situation familiale et matérielle se trouvent les frères au début du récit ?

2 Qui vit à côté de chez eux ?

3 Pourquoi le bourgeois envoie-t-il son fils chercher un prêtre ?

4 Qu'abandonne ce prêtre en s'enfuyant ?

5 Dans *Les perdrix*, pourquoi le vilain s'absente-t-il pendant que sa femme fait cuire les perdrix ? Quelle est la conséquence du prolongement de son absence ?

6 Quel est le premier mensonge qu'invente la dame, lors du retour de son mari, afin d'expliquer la disparition des perdrix ? Pourquoi y renonce-t-elle aussitôt ?

7 Quel autre mensonge invente-t-elle à l'arrivée du prêtre pour le faire partir aussitôt ? Comment a-t-elle préparé ce mensonge pour le rendre vraisemblable ?

8 Quel troisième mensonge invente-t-elle enfin pour justifier la fuite du prêtre et lancer son mari à sa poursuite ?

ÉTUDIER LE VOCABULAIRE ET LA GRAMMAIRE

9 Dans *Estula*, expliquez la confusion dont le nom du chien est la cause. Pourquoi ce nom a-t-il été choisi comme titre du fabliau ?

Le sens propre est le sens premier d'un mot.
Le sens figuré est le sens imagé d'un mot.

10 Dans *Les perdrix*, quel est le sens propre et le sens figuré des expressions suivantes : « *elle sent l'eau lui venir à la bouche* » (l. 22) et « *elle s'en pourlèche les doigts* » (l. 26) ?
Quel défaut de la dame ces expressions font-elles apparaître ?

ÉTUDIER LE DISCOURS

11 Dans *Les perdrix*, par quels types de discours le narrateur nous fait-il partager les réflexions de la dame pendant qu'elle attend son mari ? Quel est l'effet produit ?

ÉTUDIER LE GENRE DU TEXTE :
LE COMIQUE DE SITUATION*

12 Dans *Estula*, énumérez et expliquez les différentes formes de quiproquo* qui s'enchaînent et montrez le comique de situation qui s'y ajoute.

13 Dans *Les perdrix*, expliquez le quiproquo que la dame a créé entre son mari et le prêtre.

14 Comment l'a-t-elle rendu vraisemblable pour l'un et pour l'autre ?

15 Qu'y a-t-il d'amusant dans la scène créée ?

* comique de situation : comique produit par la situation d'un personnage.

* quiproquo : erreur qui consiste à prendre une personne ou une chose pour une autre.

ÉTUDIER L'ÉCRITURE

16 Dans *Estula*, par quel procédé d'écriture particulier est mise en valeur la pauvreté au début du récit ? (Observez la majuscule et les termes utilisés pour décrire son action.) Comment se nomme cette figure de style* ?

* figure de style : procédé d'expression particulier visant à produire un certain effet.

ÉTUDIER UN THÈME :
LE VICE N'EST PAS TOUJOURS PUNI !

17 Dans *Estula*, montrez comment la pauvreté des uns et la bêtise des autres justifient la malhonnêteté. Expliquez le rapport entre le récit et le proverbe final. Ce fabliau vous paraît-il moral ?

18 Dans *Les perdrix*, montrez comment la satire de la femme porte à la fois sur sa gourmandise et sur sa ruse. En quoi sa malice est-elle aidée par la naïveté des deux hommes ?

19 La conclusion du narrateur reflète l'opinion qu'on avait de la femme au Moyen Âge ; que pensez-vous de ce jugement ?

À VOS PLUMES !

20 Racontez un quiproquo auquel vous avez été mêlé : sur quoi ou qui portait-il ? En étiez-vous la cause ou la victime ? Comment s'est-il terminé ?

MISE EN SCÈNE

21 Ces deux fabliaux s'apparentent à des farces*, imaginez-en la mise en scène après en avoir appris les dialogues. Accentuez les éléments comiques dans les répliques et les comportements.

> ** farce :* pièce comique populaire, courte et simple, en vogue au Moyen Âge.

LIRE L'IMAGE

22 Observez l'illustration reproduite sur le plat II de la couverture. Comment est-elle composée ? À quelles occupations se livrent les personnages représentés ? Qu'y a-t-il de traditionnel dans ces activités ?

Le paysan devenu médecin

1 Jadis vivait un riche paysan qui était très avare ; du matin au soir, il était derrière sa charrue tirée par une jument et un cheval de trait. Il avait à sa suffisance[1], pain, viande, vin et tout ce dont il avait besoin mais il ne s'était pas marié et ses amis et ses
5 voisins l'en blâmaient fort[2]. Il disait cependant qu'il prendrait volontiers une bonne femme s'il pouvait la trouver. Aussi ses amis lui promirent-ils de lui chercher la meilleure qu'ils pourraient lui trouver.

Il y avait dans le pays un chevalier âgé et devenu veuf qui avait
10 une fille très belle et fort courtoise[3]. Mais, comme il n'était pas très riche, le chevalier ne trouvait personne pour lui demander la main de sa fille et, pourtant, il l'aurait volontiers mariée car elle en avait l'âge. Les amis du paysan vinrent trouver le chevalier et lui demandèrent la main de sa fille pour ce vilain[4] qui
15 avait tant d'or et d'argent, du blé en quantité et de la bonne toile à profusion[5]. Il la leur donna sans la moindre hésitation et consentit au[6] mariage. La jeune fille, qui était pleine de sagesse, n'osa pas contredire son père car elle avait perdu sa mère. Elle se plia à son désir. Et le paysan, aussi vite qu'il le put, célébra
20 ses noces en épousant celle qui en était fort attristée bien qu'elle n'osât pas le montrer. Quand tous ces événements furent passés,

---

Notes

1. **à sa suffisance** : en quantité suffisante.
2. **l'en blâmaient fort** : le lui reprochaient vivement.
3. **fort courtoise** : très raffinée, polie.
4. **ce vilain** : ce paysan.
5. **à profusion** : en abondance.
6. **consentit au** : accepta.

la noce et le reste, il ne fallut pas longtemps au paysan pour penser qu'il avait fait une mauvaise affaire : il ne convenait pas à ses besoins d'avoir une fille de chevalier pour femme. Quand il ira
25 à la charrue, les jeunes godelureaux[1] pour qui tous les jours sont fériés, viendront traîner dans la rue ; à peine aura-t-il tourné le dos que le chapelain[2] viendra avec assiduité[3] faire la cour à sa femme, laquelle ne l'aimera jamais et n'aura pas pour lui la moindre estime !

30 « Hélas ! Pauvre de moi, se disait le paysan, je ne sais quoi faire et il ne sert à rien de se perdre en de vains[4] regrets. » Alors il commença à réfléchir au moyen de préserver[5] sa femme de ces tentations : « Dieu ! se dit-il, si je la battais le matin en me levant, elle passerait le reste de la journée à pleurer pendant que
35 je serais à mon travail ; et je sais bien que tant qu'elle pleurerait, personne ne songerait à lui faire la cour. Et quand je reviendrais le soir, je lui demanderais pardon ; le soir je la rendrais joyeuse mais au matin elle serait de nouveau dolente[6]. Je vais prendre congé d'elle dès que j'aurai mangé un peu. » Le paysan demanda
40 son repas et la dame s'empressa de le servir. À défaut de saumon et de perdrix, ils eurent du pain, du vin, des œufs frits et du fromage en abondance, nourriture que produisait le paysan.

Quand la table fut débarrassée, de la paume de la main qu'il avait grande et large, il frappa sa femme en pleine figure, y laissant
45 la marque de ses doigts ; puis, méchamment, il la saisit par les cheveux et lui administra une sévère correction[7] comme si elle l'avait mal servi. Après quoi, il partit rapidement dans les champs en abandonnant sa femme en pleurs.

« Hélas ! fait-elle, que vais-je faire ? Et où prendre conseil ? Je
50 ne sais même plus quoi dire ! Mon père m'a bien sacrifiée en

---

Notes

1. **godelureaux** : jeunes gens élégants et désœuvrés.
2. **le chapelain** : le prêtre.
3. **avec assiduité** : continuellement, avec empressement.

4. **vains** : inutiles.
5. **préserver** : sauver, épargner.
6. **dolente** : malheureuse, plaintive.
7. **lui administra une sévère correction** : la frappa violemment.

me donnant à ce paysan. Serais-je morte de faim ? Certes j'étais bien folle de consentir à un tel mariage ! Ah ! Dieu ! pourquoi ma mère est elle morte ? »

Elle se désespérait tant que tous ceux qui venaient pour la voir
55 rebroussaient chemin[1]. Tout le jour elle resta éplorée[2], jusqu'au coucher du soleil où son mari revint à la maison. Il tomba aux pieds de sa femme et lui demanda pardon.

« Sachez que c'est le diable qui m'a poussé à cette violence. Mais je vous jure que plus jamais je ne vous battrai ; je suis vrai-
60 ment attristé et furieux de vous avoir ainsi battue. » Le vilain puant[3] s'est tant excusé que sa femme lui pardonne et lui sert le repas qu'elle avait préparé. Quand ils eurent assez mangé, ils allèrent se coucher en paix.

Au matin, le rustre a de nouveau battu sa femme au point
65 de manquer l'estropier[4], puis il est retourné à ses labours. Et de nouveau, la dame éclate en sanglots :

« Hélas ! Que faire ? Et comment me sortir de ce mauvais pas[5] ? Je suis dans une bien mauvaise situation ! Et mon mari a-t-il jamais été battu ? Certainement pas ; il ne sait pas ce que sont les
70 coups ; s'il le savait, pour rien au monde il ne m'en aurait donné autant ! »

Tandis qu'elle se désolait ainsi, arrivèrent deux messagers du roi montés sur des palefrois[6] blancs. Ils se dirigèrent vers la dame en éperonnant[7] et la saluèrent au nom du roi. Puis ils deman-
75 dèrent à manger car ils en avaient grand besoin. Elle les servit volontiers et leur demanda :

Notes

1. **rebroussaient chemin** : faisaient demi-tour, retournaient chez eux.
2. **éplorée** : en pleurs, triste.
3. **puant** : odieux.
4. **l'estropier** : la mutiler.
5. **me sortir de ce mauvais pas** : me tirer de cette situation difficile.

6. **palefrois** : chevaux de marche, de parade.
7. **en éperonnant** : en piquant les chevaux avec les éperons pour les faire avancer plus vite.

« La violence du jaloux », miniature du XVe siècle.

«D'où êtes-vous et où allez-vous? Dites-moi ce que vous cherchez.»

L'un d'eux lui répondit :

80 «Dame, en vérité, nous sommes des messagers du roi. Il nous envoie chercher un médecin pour le ramener en Angleterre.

– Pour quoi faire?

– Demoiselle Aude, la fille du roi, est malade; il y a bien huit jours qu'elle n'a ni bu ni mangé car une arête de poisson lui est

85 restée fichée[1] dans le gosier. S'il la perd, le roi ne sera plus jamais heureux.»

La dame lui répondit aussitôt :

«Vous n'aurez pas besoin d'aller bien loin car mon mari, je peux vous l'assurer, est un bon médecin. Il connaît plus de

90 remèdes que n'en connut jamais Hippocrate[2] et il sait encore mieux établir un diagnostic en examinant les urines.

– Dame, est-ce une plaisanterie?

– Je n'ai nullement envie de plaisanter. Mais il a un tel caractère qu'il ne ferait rien pour personne si on ne lui administrait

95 auparavant une sévère correction.»

Et les messagers répondirent :

«On y parera[3] : on ne se fera pas faute de[4] le battre. Dame, où pourrons-nous le trouver?

– Vous le trouverez aux champs. Quand vous sortirez de cette

100 cour, suivez ce ruisseau et après ce chemin désert, la première charrue que vous rencontrerez, c'est la nôtre. Allez-y. Et que saint Pierre vous garde.»

Les messagers éperonnent leurs montures jusqu'à ce qu'ils aient trouvé le paysan. Ils le saluent au nom du roi et lui disent

105 aussitôt :

«Venez vite parler au roi.

Notes

1. **fichée** : enfoncée, plantée.
2. **Hippocrate** : célèbre médecin grec de l'Antiquité (Ve siècle av. J.-C.).

3. **On y parera** : on y fera face, on prendra les dispositions nécessaires.
4. **on ne se fera pas faute de** : on ne manquera pas de, on ne se privera pas de.

– Et pour quoi faire? répond le vilain.

– À cause de votre grande science. Il n'y a pas sur terre un médecin qui vous vaille. Nous sommes venus de loin pour vous chercher.

Quand il s'entend nommer médecin, son sang ne fait qu'un tour[1]; il répond qu'il n'a aucune connaissance en médecine.

«Et qu'attendons-nous? dit l'un des messagers. Tu sais bien qu'avant de faire du bien ou même d'accepter, il veut être battu!»

L'un le frappe derrière l'oreille et l'autre sur le dos avec un gros bâton. Ils le malmènent[2] à qui mieux mieux[3], puis ils le conduisent au roi. Ils l'ont hissé sur un cheval, à l'envers, la tête vers l'arrière. Le roi était venu à leur rencontre. Il leur dit :

«Avez-vous trouvé quelqu'un?

– Oui, sire», dirent-ils ensemble.

Le vilain tremblait de peur. L'un des messagers commença à raconter au roi les manies qu'avait le paysan et combien il était fourbe[4] car quoi qu'on lui demandât, il ne faisait rien pour personne avant d'être sérieusement étrillé[5]. Le roi s'étonna :

«Quel drôle de médecin c'est là! Jamais je n'ai entendu parler d'un tel homme.

– Puisqu'il en est ainsi, battons-le bien, dit un sergent. Je suis prêt : il suffit de m'en donner l'ordre et je lui réglerai son compte!»

Le roi fit approcher le paysan et lui dit :

«Maître, prêtez-moi attention. Je vais faire venir ma fille qui a grand besoin d'être soignée.»

Notes

1. **son sang ne fait qu'un tour** : il est bouleversé.
2. **Ils le malmènent** : Ils le battent.
3. **à qui mieux mieux** : à qui fera plus que l'autre, en rivalisant l'un l'autre.
4. **fourbe** : sournois, hypocrite.
5. **étrillé** : battu, malmené.

Le paysan lui demanda grâce[1].

135 «Sire, au nom de Dieu qui ne mentit jamais, et puisse-t-il me secourir, je vous certifie que je n'ai aucune connaissance en médecine. Jamais je n'en ai appris le moindre mot.»

Le roi s'écria :

«Vous me dites des sornettes[2]. Battez-le-moi.»

140 Ses gens s'approchèrent et administrèrent une raclée[3] au paysan avec grand plaisir. Quand celui-ci sentit les coups pleuvoir, il se tint pour fou.

«Grâce, leur cria-t-il, je vais la guérir sur-le-champ.»

La demoiselle, qui était pâle et avait perdu ses couleurs, se 145 trouvait dans la salle. Le vilain se demanda comment il pourrait la guérir car il savait bien qu'il lui fallait ou la guérir ou mourir. Alors il commença à réfléchir que, s'il voulait la guérir et la sauver, il lui fallait trouver quelque chose à faire ou à dire qui puisse la faire rire afin que l'arête saute de sa gorge car elle n'était pas 150 enfoncée plus avant dans son corps.

Il dit au roi :

«Faites un feu dans cette chambre et laissez-nous. Vous verrez bien ce que je ferai, et s'il plaît à Dieu, je la guérirai.»

Le roi ordonna de faire un grand feu. Valets et écuyers[4] se 155 précipitent et ils ont vite allumé un feu là où le roi l'avait commandé. La pucelle[5] s'assit près du feu, sur son siège que l'on avait placé là; et le vilain se déshabilla tout nu, ôta ses culottes et se coucha le long du feu. Il se mit à se gratter et à s'étriller[6] : il avait les ongles longs et le cuir[7] dur. Jusqu'à Saumur il n'y a 160 personne, si bon gratteur qu'on le croie, qui le soit autant que lui. La jeune fille, en voyant ce spectacle, veut rire malgré le mal qu'elle ressent; elle s'efforce tant et si bien que l'arête lui

---

Notes

1. **demanda grâce** : implora sa pitié.
2. **dites des sornettes** : dites des bêtises.
3. **administrèrent une raclée** : le frappèrent rudement.
4. **écuyers** : jeunes gentilhommes dont le service consistait à servir à table.
5. **la pucelle** : la jeune fille.
6. **s'étriller** : se frotter, se brosser.
7. **le cuir** : la peau.

vole hors de la bouche et tombe dans le feu. Le vilain, sans plus attendre, se rhabille, prend l'arête et sort de la chambre en fai-
165 sant fête. Dès qu'il voit le roi, il lui crie :

«Sire, votre fille est guérie : voici l'arête, grâce à Dieu.»

Le roi en fut tout heureux et lui dit :

«Je veux que vous sachiez que je vous aime plus que quiconque. Vous aurez vêtements et robes.

170 — Merci, Sire, mais je n'en veux pas ; je ne veux pas rester avec vous. Il me faut rentrer chez moi.»

Le roi lui répliqua :

«Il n'en est pas question. Tu seras mon médecin et mon ami.

— Merci, Sire, au nom de saint Germain. Mais chez moi il n'y
175 a plus de pain. Quand j'en suis parti, hier matin, je devais aller en chercher au moulin.»

Le roi appela deux serviteurs :

«Battez-le-moi, il restera.»

Ces derniers bondissent sans hésiter et donnent une raclée au
180 paysan. Quand il sentit pleuvoir les coups sur ses bras, ses jambes et son dos, il commença à crier grâce :

«Je resterai. Laissez-moi en paix.»

Le paysan resta à la cour ; on le tondit, on le rasa et on lui fit revêtir une robe d'écarlate[1]. Il se croyait tiré d'affaire lorsque les
185 malades du pays, au nombre de quatre-vingts, à ce que je crois, vinrent voir le roi à l'occasion d'une fête et chacun lui conta son cas. Le roi appela le paysan et lui dit :

«Maître, au travail. Chargez-vous de ces gens et guérissez-les-moi sans tarder.

190 — Grâce, Sire, répliqua le paysan. Par Dieu, ils sont trop nombreux ; je ne pourrai en venir à bout ; il est impossible de les guérir tous !»

Le roi appela deux valets qui prirent un gourdin car ils savaient bien pourquoi le roi les appelait. Quand le paysan les vit
195 venir, son sang ne fit qu'un tour.

«Grâce, commença-t-il à crier. Je vais tous les guérir sans attendre!»

Il demanda du bois et on lui en donna assez pour le satisfaire; on fit du feu dans la salle et lui-même se mit à l'attiser[1]. Il réunit
200 alors les malades dans la salle et s'adressa au roi:

«Sire, vous sortirez avec tous ceux qui ne sont pas malades.»

Le roi le quitta courtoisement[2] et sortit de la pièce avec ses gens. Le paysan s'adressa alors aux malades:

«Seigneurs, par ce Dieu qui me créa, ce n'est pas une mince
205 affaire que de vous guérir et j'ai peur de ne pouvoir y arriver. Je vais choisir le plus malade et le mettre dans ce feu; je le réduirai en cendres et tous les autres en retireront profit car ceux qui boiront cette cendre avec de l'eau seront guéris sur l'heure.»

Ils se regardèrent les uns les autres mais il n'y eut pas un bossu
210 ou un enflé qui voulût admettre, même si on lui avait donné la Normandie, qu'il était le plus gravement atteint.

Le paysan s'approcha du premier et lui dit:

«Je te vois bien faible: tu es le plus malade de tous.

— Grâce, Sire, je me sens beaucoup mieux que jamais je ne me
215 suis senti. Je suis soulagé des maux bien cruels qui m'ont longtemps fait souffrir. Sachez que je ne vous mens pas.

— Alors qu'es-tu venu chercher ici? Sors.»

Celui-ci s'empressa de prendre la porte. Le roi lui demanda au passage:

220 «Es-tu guéri?

— Oui, Sire. Grâce à Dieu, je suis plus sain qu'une pomme. Votre médecin est un homme remarquable!»

Notes

1. l'attiser: le rendre plus vif.   2. courtoisement: poliment, aimablement.

Que vous dirais-je de plus ? Il n'y avait personne, petit ou grand, qui, pour rien au monde, aurait accepté d'être jeté dans
225 le feu. Et tous s'en allèrent comme s'ils avaient été complètement guéris. Quand le roi les vit ainsi, il en fut éperdu de joie[1] et il demanda au paysan :

«Beau maître, je me demande bien comment vous avez pu faire pour les guérir aussi vite.

230 – Sire, je les ai enchantés[2]. Je connais un charme[3] qui est plus efficace que le gingembre[4] ou le zédoaire[5].»

Le roi lui dit alors :

«Maintenant, vous pourrez repartir chez vous, quand vous le désirerez ; vous aurez de mes deniers[6] et de bons chevaux,
235 palefrois et destriers[7]. Quand je vous appellerai, vous répondrez à mon appel. Vous serez mon ami le plus cher et tous les gens de la contrée vous en aimeront davantage. Ne faites plus le niais[8] et n'obligez plus personne à vous battre car il est honteux de vous frapper.

240 – Merci, Sire, je suis votre homme à quelque heure que ce soit, et le serai aussi longtemps que je vivrai et je ne pense pas jamais le regretter.»

Il prit congé[9] du roi et le quitta pour revenir tout joyeux chez lui. Jamais il n'y eut manant[10] plus riche : il revint chez lui mais
245 ne retourna plus à sa charrue et ne battit plus sa femme ; au contraire, il l'aima tendrement. Tout se passa comme je vous l'ai conté : grâce à sa femme et à la malice qu'elle avait déployée[11], il devint un bon médecin sans jamais l'avoir appris.

Le tailleur du roi et son apprenti

1   Il y avait jadis un roi qui avait un excellent tailleur ; ce maître tailleur avait à son service une équipe d'employés qui cousaient ce qu'il taillait. Parmi ceux-ci se trouvait un jeune garçon tailleur, nommé Nidui, très habile dans son métier car il savait
5   parfaitement coudre et tailler.

À l'approche d'une grande fête, le roi convoqua son tailleur et se fit tailler de très riches habits pour la célébrer fastueusement[1]. Le maître tailleur rassembla son équipe et la mit activement à l'ouvrage. Pour accélérer le travail, le roi délégua[2] son cham-
10   bellan[3] auprès des apprentis afin de leur fournir tout ce dont ils auraient besoin tout en leur évitant la possibilité de distraire à leur profit[4] la moindre partie des fournitures. Un jour ils eurent pour leur repas du pain et du miel, et bien d'autres choses en abondance. Mais il se trouva qu'à ce moment-là Nidui était ab-
15   sent de l'assemblée. Le chambellan, qui s'en était aperçu, appela le maître tailleur et lui dit :

« Il serait juste que vous attendiez le retour de Nidui, votre garçon tailleur. »

Notes

1. **fastueusement** : richement et avec éclat.
2. **délégua** : envoya pour le représenter.
3. **chambellan** : gentilhomme de la cour chargé du service de la chambre du roi.
4. **distraire à leur profit** : détourner à leur intention.

Le maître tailleur, avec une finesse déguisée[1], répondit :

20 «Nous l'aurions bien volontiers attendu mais il ne mange pas de miel et il pourra bien manger autre chose à sa suffisance[2]. »

Quand ils eurent tous mangé, Nidui arriva ; il entra dans une violente colère envers ses camarades de travail et leur adressa de vifs reproches :

25 «Pourquoi avez-vous déjeuné sans moi ? Il me semble que la moindre des choses était de m'attendre ! »

Le chambellan lui répondit :

«C'est bien ce que je leur ai dit ; mais votre maître m'a affirmé — et j'ignore dans quelle intention il a agi ainsi — que vous ne 30 mangiez pas de miel et que vous auriez bien assez du reste. »

Nidui ne pipa mot[3] mais en son for intérieur[4] il chercha la manière de rendre la monnaie de la pièce[5].

Un jour, il vint en grand secret trouver le chambellan et s'adressa à lui à mots couverts[6] : «Seigneur, lui dit-il, au nom de 35 Dieu, je vous prie de m'écouter car il faut que vous soyez mis au courant d'une certaine chose : périodiquement[7], à chaque changement de lune, notre maître a des troubles mentaux ; il perd le sens[8] et devient fou et si, alors, il n'est pas rapidement ligoté, toute personne qui croise son chemin risque de ne plus 40 jamais pouvoir manger de pain ! »

Le chambellan répondit alors à Nidui :

«En vérité, si je pouvais prévoir précisément le début de ces crises, je le ferais si bien ligoter qu'il ne pourrait vous causer aucun dommage. »

Notes

1. **une finesse déguisée :** une ruse cachée.
2. **à sa suffisance :** tant qu'il (en) voudra.
3. **ne pipa mot :** ne répondit pas.
4. **en son for intérieur :** en lui-même, au fond de lui.
5. **rendre la monnaie de la pièce :** se venger de lui.

6. **à mots couverts :** parlant avec prudence, en ne disant pas les choses clairement.
7. **périodiquement :** à intervalles réguliers.
8. **il perd le sens :** il perd la raison.

45 Nidui répliqua alors :

«Je vais vous dire comment cela se passe, car j'ai déjà eu l'occasion d'assister à ses crises : quand il se mettra à regarder ici et là et à battre de la main l'espace autour de lui et quand il se relèvera brusquement en bousculant son escabeau, alors vous
50 pourrez être assuré que c'est sa folie qui le prend et il n'en sortira pas avant d'être ligoté et battu. »

Le chambellan dit alors à Nidui :

«Je vais le surveiller du mieux que je le pourrai et quand je verrai les signes avant-coureurs[1] de la crise que vous m'avez dé-
55 crits, je le ferai ligoter et battre. Plaise à Dieu que, par suite de sa folie, personne d'entre nous ne perde la vie ! »

Nidui ne perdit pas de temps : il cacha les ciseaux de son maître. Un jour, ce dernier voulut couper une pièce d'étoffe mais il ne put mettre la main sur ses ciseaux ; il regarda ici et là
60 et se releva brusquement en bousculant son escabeau pour chercher partout ses ciseaux. Il tapota du pied le sol tout autour de lui et se comporta comme quelqu'un qui aurait perdu la raison. Quand le chambellan le vit agir ainsi, il n'en fut point réjoui ; il appela aussitôt les apprentis et leur ordonna de ligoter leur
65 maître. Ceux-ci lui obéirent : ils lièrent leur maître et le battirent jusqu'à en être complètement fourbus[2] puis ils le délièrent. Quand il fut libéré, le maître tailleur demanda au chambellan pourquoi il l'avait fait attacher et aussi vilainement[3] maltraiter.

«Nidui me l'a conseillé, répondit-il, en me faisant entendre
70 que périodiquement, lors des changements de lune, vous aviez des accès de démence[4] et que si l'on ne vous attachait solidement, l'un ou l'autre d'entre nous pourrait en subir les conséquences. »

Le maître tailleur appela Nidui :

75 «Depuis quand as-tu appris que j'avais périodiquement des accès de folie?» lui demanda-t-il.

Et Nidui lui répliqua :

«Et vous, dites-moi donc aussi depuis quand je ne mange pas de miel!»

80 Le chambellan et tous les apprentis, petits et grands, éclatèrent de rire et ce fut à juste titre[1], car celui qui trompe son compagnon mérite d'en recevoir la monnaie de sa pièce. Celui qui sème le mal récolte ce qu'il a semé.

Note

1. **à juste titre** : avec raison, à bon droit.

Au fil du texte

Avez-vous bien lu ?

1 Dans *Le paysan devenu médecin*, quelle est l'origine sociale de la femme du paysan ?

2 Quels inconvénients cela présente-t-il selon lui ?

3 Comment décide-t-il d'y remédier ?

4 Pourquoi les deux messagers du roi cherchent-ils un médecin ? À quelle condition, selon sa femme, le paysan accepte-t-il d'exercer la médecine ?

5 Comment le paysan s'y prend-il pour guérir la fille du roi ?

6 Quel moyen invente le paysan pour guérir tous les malades du royaume ?
Pourquoi ce « remède » fonctionne-t-il si bien ?

7 Dans *Le tailleur du roi et son apprenti*, pourquoi le roi envoie-t-il son chambellan auprès des apprentis ?

8 Selon le maître tailleur, quel est l'aliment que Nidui ne mange pas ?

9 Quel objet appartenant au maître tailleur Nidui cache-t-il et pourquoi ?

Étudier le vocabulaire et la grammaire

10 Dans *Le paysan devenu médecin*, relevez le champ lexical* de la violence physique ; que remarquez-vous ?

> *champ lexical :
> ensemble de
> termes se
> rattachant à un
> même thème.

11 Justifiez l'orthographe de quatre-vingts (*Le paysan devenu médecin*, l. 185).

12 Dans *Le tailleur du roi et son apprenti*, que signifie : « *Toute personne qui croise son chemin risque de ne plus jamais pouvoir manger de pain* » (l. 39 à 40) ? Quelle expression en précise le sens un peu plus loin ?

13 Décomposez en propositions la phrase : « *Celui qui sème le mal récolte ce qu'il a semé.* » (l. 82). À quel type d'énoncé* s'apparente-t-elle ?

> * *énoncé* : message écrit ou oral.

ÉTUDIER LE DISCOURS

14 Dans *Le paysan devenu médecin*, relevez dans les dialogues un exemple de chaque type de phrase (déclarative, interrogative, exclamative et impérative) et indiquez ses caractéristiques.

15 Dans *Le tailleur du roi et son apprenti*, transformez en interrogation indirecte la phrase : « *Depuis quand as-tu appris que j'avais périodiquement des accès de folie ? lui demanda-t-il.* » (l. 75) en commençant par : « *Il lui demanda* ». Quelles modifications avez-vous effectuées ?

ÉTUDIER LE GENRE DU TEXTE : LE COMIQUE DE FARCE

16 Dans *Le paysan devenu médecin*, les coups ont-ils le même effet comique quand ils sont subis par la femme, puis par le paysan ? Qu'est-ce qui les différencie ?

17 D'où provient le comique du remède inventé par le paysan pour guérir la fille du roi ?

18 Dans *Le tailleur du roi et son apprenti*, le comique est créé par la prétendue folie du maître tailleur et par les coups qui doivent le guérir : que pensez-vous de l'efficacité de ce comique à notre époque ?

ÉTUDIER L'ÉCRITURE

19 Une figure de style : l'hyperbole*.
Dans *Le paysan devenu médecin*, relevez tous les mots et expressions qui marquent une exagération dans la scène de guérison des quatre-vingts malades.

> ** hyperbole :* figure qui consiste à exagérer la réalité pour frapper l'imagination.

20 Dans *Le tailleur du roi et son apprenti*, relevez le champ lexical de la folie ; que remarquez-vous ?

ÉTUDIER UN THÈME :
LA VENGEANCE OU « LE TROMPEUR TROMPÉ »

21 Dans *Le paysan devenu médecin*, de quelles qualités la femme fait-elle preuve pour se venger de son mari ?

22 Cette vengeance est-elle justifiée ?

23 Comment le paysan se tire-t-il de cette délicate situation ?

24 N'y a-t-il pas là un point commun entre ces deux personnages malgré leur différence sociale ?

25 Pourquoi le fabliau a-t-il une fin heureuse ?

26 Dans *Le tailleur du roi et son apprenti*, pourquoi Nidui décide-t-il de se venger ? Quelles sont les différentes étapes de cette vengeance ?

À VOS PLUMES !

27 À votre tour, imaginez un récit sur le schéma du « trompeur trompé » : vous avez voulu jouer un mauvais tour à l'un de vos camarades et cela se retourne contre vous. Décrivez les sentiments que vous avez alors ressentis.

Mise en scène

28 Adaptez le fabliau du *Paysan devenu médecin*, à la manière de Molière dans *Le Médecin malgré lui*, pour en faire une courte pièce de théâtre que vous jouerez.

Lire l'image

29 Décrivez l'illustration de la page 40.
Comment l'artiste a-t-il suggéré les sentiments des deux personnages ? Leurs visages vous paraissent-ils expressifs ? Justifiez votre réponse.

La vieille qui graissa la main du chevalier

1   Pour vous amuser un peu, je voudrais vous raconter l'histoire d'une vieille femme qui avait deux vaches qui étaient sa seule ressource du moins à ce que j'ai lu.

   Un jour, ses vaches s'échappèrent et le prévôt[1] les ayant trou-
5 vées, les fit mener chez lui. Quand la brave femme l'apprit, elle alla le voir et le pria de les lui rendre. Elle le supplia mais rien n'y fit, car le prévôt, qui était un triste sire[2], se moquait éperdument de tout ce qu'elle pouvait lui dire.

   «Par ma foi, dit-il, ma bonne vieille, payez-moi d'abord ce
10 que vous me devez avec les beaux deniers[3] que vous cachez dans un pot!»

   La brave femme s'en revint alors la tête basse, triste et bien contrite[4]. Elle rencontra sa voisine, Hersant, et lui conta son histoire. Hersant lui nomma un chevalier et lui conseilla d'aller
15 parler à ce grand seigneur : qu'elle lui parle poliment, sagement

---

Notes

1. **le prévôt** : officier seigneurial chargé de maintenir l'ordre et de faire respecter la justice du seigneur.
2. **triste sire** : homme peu recommandable.

3. **deniers** : unité monétaire au Moyen Âge.
4. **bien contrite** : embarrassée, affligée.

et avec respect ; si elle lui graisse la patte[1], il lui fera retrouver ses vaches sans avoir à payer de dédommagement[2].

La bonne vieille, qui n'y entend pas malice[3], prend un morceau de lard et vient trouver le chevalier qui se trouvait devant sa maison. Par aventure[4] le chevalier avait les mains croisées dans le dos. La vieille s'approche par-derrière et lui frotte la main avec son lard. Quand celui-ci sent qu'on lui graisse la main, il se retourne et regarde la vieille :

« Bonne femme, que fais-tu là ?

– Sire, au nom de Dieu, pardonnez-moi : on m'a dit de venir vous trouver et de vous graisser la patte et que, si je faisais cela, je pourrais récupérer mes vaches sans rien avoir à payer.

– Celle qui t'a dit cela voulait dire tout autre chose ; mais tu n'y perdras rien pour attendre : tu retrouveras tes vaches sans rien avoir à payer et de plus je te donne un bon pré bien herbeux. »

J'ai raconté cette anecdote pour montrer l'attitude de ceux qui sont puissants et fortunés et qui sont souvent fourbes et déloyaux[5] ; ils vendent leur parole et leur conscience et se moquent de la justice. Chacun ne songe qu'à amasser : le pauvre n'a gain de cause[6] que s'il paie.

Notes

1. graisse la patte : signifie au sens figuré « donner de l'argent en cachette pour obtenir quelque chose en échange » ; mais la vieille femme va prendre l'expression au sens propre...

2. payer de dédommagement : payer une somme d'argent en compensation.

3. qui n'y entend pas malice : qui n'y voit rien de mal.

4. Par aventure : par hasard.

5. fourbes et déloyaux : hypocrites et malhonnêtes.

6. n'a gain de cause : l'emporte, réussit (dans un procès).

Brunain, la vache du prêtre

par Jean Bodel

1   Je vais vous raconter l'histoire d'un vilain et de sa femme qui, le jour de la fête de Notre-Dame[1], allèrent prier à l'église. Le prêtre, avant de commencer l'office[2], monta en chaire[3] pour faire son sermon[4]. Il dit qu'il était profitable de donner pour
5 l'amour de Dieu, si l'on avait un peu de bon sens, car Dieu rendait au double à celui qui donnait de bon cœur.

    «Écoute, femme, ce que vient de dire notre prêtre, fit le vilain : si l'on donne de bon cœur à Dieu, Dieu le rend au double. Nous ne pouvons mieux employer notre vache, si bon
10 te semble, que de la donner pour Dieu au curé. D'ailleurs elle donne peu de lait!

    – Sire, à cette condition, je veux bien qu'il l'ait», répondit la dame.

    Alors ils reviennent chez eux sans faire de plus longs discours.
15 Le vilain entre dans l'étable, prend sa vache par la longe[5] et va la présenter au curé. Le prêtre était fin et rusé.

    «Beau sire, fait le vilain en joignant les mains, je vous donne Blérain pour l'amour de Dieu.» Et il lui mit la longe dans la main en jurant qu'elle ne lui appartenait plus.

Notes

1. **le jour de la fête de Notre-Dame :** le 15 août, pour l'Assomption de la Vierge Marie.
2. **l'office :** la messe.

3. **chaire :** tribune élevée du haut de laquelle le prêtre s'adresse aux fidèles.
4. **son sermon :** son discours religieux.
5. **la longe :** corde qui sert à attacher un animal domestique.

20 «Ami, tu as agi en homme sensé, déclara le prêtre dom[1] Constant qui ne pensait jamais qu'à amasser. Va-t'en, tu as fait ce que tu devais. Si tous mes paroissiens[2] étaient aussi sages que toi, j'aurais un bon troupeau.»

Le vilain quitta le prêtre et celui-ci ordonna immédiatement 25 que pour l'apprivoiser, on attachât Blérain à sa propre vache, Brunain. Le sacristain[3] emmena Blérain dans le pré où se trouvait, je pense, la vache du curé et les attacha ensemble puis il revint en les laissant là.

La vache du curé baissa la tête, car elle voulait brouter mais 30 Blérain ne put le supporter; elle tira si fort sur le lien qui les unissait qu'elle l'entraîna hors du pré. Elle l'a tant tirée qu'à travers les fermes, les chènevières[4] et les prés, elle est revenue chez elle, suivie de Brunain qui lui cause bien du tourment en se laissant tirer. Le vilain, qui attendait, la voit arriver; il en 35 ressent une grande joie.

«Ah! femme, dit-il, c'est vrai que Dieu rend au double. Voici Blérain qui revient avec une autre; elle amène une grande vache brune. Maintenant nous en avons deux pour une. Notre étable va être bien remplie!»

40 Ce fabliau nous montre par l'exemple que celui qui refuse de faire confiance est bien sot. Aura du bien celui à qui Dieu le donne et non celui qui thésaurise[5] et cache ce qu'il a. Personne ne peut faire fructifier[6] son bien sans, pour le moins, une grande part de chance. C'est par chance que le vilain eut deux vaches et 45 que le prêtre perdit tout. Tel croit avancer qui recule.

Notes

1. **dom** : titre donné à certains religieux (bénédictins, chartreux, etc.)
2. **mes paroissiens** : ensemble des fidèles qui dépendent de la paroisse de ce prêtre.
3. **Le sacristain** : celui qui est chargé de l'entretien de l'église.

4. **les chènevières** : champs où pousse le chanvre.
5. **thésaurise** : amasse de l'argent pour le garder.
6. **faire fructifier** : faire produire des bénéfices, faire rapporter de l'argent.

Au fil du texte

Avez-vous bien lu ?

1 Dans *La vieille qui graissa la main du chevalier*, que réclame le prévôt pour rendre ses deux vaches à la vieille femme ?

2 Quel conseil lui donne sa voisine, Hersant ?

3 Que lui promet le chevalier ?

4 Dans *Brunain, la vache du prêtre*, quel est l'argument du prêtre dans son sermon pour engager les fidèles à être généreux avec Dieu ?

5 À cause de quel défaut de sa vache, le vilain s'en sépare-t-il plus facilement ?

6 Pourquoi attache-t-on Blérain, la vache du vilain, à Brunain, la vache du prêtre, dans le pré ?

7 Quelle en est la conséquence ?

Étudier le vocabulaire et la grammaire

8 Dans *La vieille qui graissa la main du chevalier*, justifiez l'accord du participe passé dans l'expression : « *les ayant trouvées* » (l. 4).

9 Que signifie l'expression : « *le prévôt, qui était un triste sire* » (l. 7) ?

10 Dans *Brunain, la vache du prêtre*, analysez le mode et le temps de « *on attachât* » (l. 25) ; de quel verbe et de quelle conjonction de subordination dépend-il ?

11 Justifiez les accords des participes passés « *tirée, revenue et suivie* » (l. 31 à 33) selon leur emploi.

Terme mélioratif et terme dépréciatif

Un terme (ou expression) mélioratif donne une vision valorisante de quelqu'un ou quelque chose.
Un terme dépréciatif donne une vision dévalorisante de quelqu'un ou quelque chose.

12 Dans *La vieille qui graissa la main du chevalier*, relevez les expressions désignant la vieille femme : y a-t-il une différence de valeur entre elles ?

13 Dans *Brunain, la vache du prêtre,* relevez deux marques de jugement du narrateur. Qui concernent-elles ? Sont-elles mélioratives ou dépréciatives ?

ÉTUDIER LE GENRE DU TEXTE :
LA LETTRE ET L'ESPRIT

14 Dans *La vieille qui graissa la main du chevalier*, le comique repose sur le sens de l'expression « *graisser la patte* » (l. 16) que la vieille, à la suite d'une confusion, « prend au pied de la lettre », c'est-à-dire au sens propre* et non au sens figuré*. Comment le fabliau exploite-t-il ce comique dans le comportement et le caractère de la vieille ?

> * *sens propre :* sens premier d'un mot.
>
> * *sens figuré :* sens imagé d'un mot.

15 Dans *Brunain, la vache du prêtre*, le comique repose sur une confusion identique, avec l'expression : « *si l'on donne de bon cœur à Dieu, Dieu le rend au double* » (l. 8). En quoi les deux paysans ont-ils un caractère et un comportement identiques à ceux de la vieille ? Quelle image commune du pauvre apparaît ainsi ?

ÉTUDIER L'ÉCRITURE

16 Étudiez une figure de style* : la personnification* en relevant les expressions et les traits qui humanisent Blérain, la vache du vilain (l. 29 à 39).

> *** figure de style** : procédé d'expression particulier visant à produire un certain effet.
>
> *** personnification** : procédé par lequel on attribue à une chose, une idée ou un animal les caractéristiques d'un homme.

ÉTUDIER UN THÈME : LES PUISSANTS

17 Dans *La vieille qui graissa la main du chevalier*, quel défaut est dénoncé au travers du personnage du prévôt ? Le chevalier est-il présenté exactement de la même façon ? Comment la conclusion du narrateur explicite-t-elle cette critique des puissants ?

18 Dans *Brunain, la vache du prêtre*, quel défaut est dénoncé au travers du personnage du prêtre ? Est-ce le même que chez le prévôt, dans *La vieille qui graissa la main du chevalier* ? Quelle image commune des puissants apparaît ainsi ?

19 Comparez les morales de ces deux fabliaux. Laquelle est la moins pessimiste ?

À VOS PLUMES !

20 Comme dans *La vieille qui graissa la main du chevalier* et dans *Brunain, la vache du prêtre*, imaginez un récit dans lequel un personnage prend une expression « au pied de la lettre ». Précisez les circonstances de cette confusion, puis racontez ses conséquences comiques ou dramatiques. Vous pouvez être vous-même ce personnage.

LIRE L'IMAGE

21 Observez l'illustration reproduite sur le plat III de la couverture. La disposition des trois scènes est-elle significative d'une hiérarchie sociale ?

Sean Connery dans *Le Nom de la Rose* de J.-J. Annaud.

Le pauvre mercier

1   Un gentil clerc¹, qui s'efforce de rapporter des choses divertissantes, veut vous raconter une nouvelle histoire. Et si son récit est plaisant, il mérite bien d'être écouté, car, souvent, une bonne histoire fait oublier la colère et les soucis et calme les
5 grandes disputes. Quand quelqu'un raconte une histoire drôle, les querelles s'oublient.

    Un seigneur, qui possédait de grandes terres et qui portait une telle haine aux gens de mauvaise vie qu'il les pourchassait sans pitié et les pendait sur l'heure sans en accepter aucune ran-
10 çon, fit un jour annoncer l'ouverture d'un nouveau marché. Un pauvre mercier² vint, sans faire d'éclats³, y installer son étal⁴ et ses tréteaux. Il n'avait ni servante ni valet et son commerce était modeste.

    «Par sainte Marie, se dit le mercier, que vais-je faire de mon
15 cheval? Il y a de la bien belle herbe dans ce vallon; je l'y mènerais volontiers paître si je ne craignais de le perdre car son entretien, son avoine et son fourrage me coûtent bien cher!»

    Un marchand qui l'avait écouté lui dit:

    «Ne redoutez pas de perdre votre bête en l'enfermant dans
20 ce pré; de toutes les terres du monde, aussi loin que l'on puisse

Notes

1. **Un clerc:** un étudiant, un homme instruit, souvent rattaché à l'église.
2. **un mercier:** marchand d'articles servant aux travaux de couture.
3. **sans faire d'éclats:** sans se faire remarquer, discrètement.
4. **son étal:** table où l'on expose les marchandises dans les marchés publics.

aller, il n'y en a pas une où règne une justice aussi sévère. Je vais vous dire à quelle condition vous pourrez laisser paître votre bête en toute tranquillité : recommandez-la au bon seigneur de cette ville d'où toute rouerie et toute perfidie[1] sont bannies ; je

25 peux vous affirmer sans nul risque de me tromper que si votre cheval, placé sous sa protection, vous est volé, il vous sera rendu et le voleur pendu si on le trouve dans le pays. Faites comme bon vous semble ; le mien y est depuis hier midi et, je vous l'assure, en toute sécurité. »

30 Le mercier se dit alors : « Je vais le conduire dans cette prairie et l'y laisserai paître. » Il recommande son cheval à Dieu et au seigneur, et, en latin et en français, il fait des prières pour que personne ne puisse l'emmener de la prairie.

Le Fils de Dieu ne trahit pas la confiance mise en lui, car le

35 cheval ne sortit jamais de la prairie. Mais une louve affamée vint à passer par là ; elle sauta à la gorge du cheval, l'étrangla et le dévora. Le lendemain, le mercier vint chercher son cheval et le trouva gisant en pièces dans la prairie.

« Dieu ! s'écria-t-il, je préférerais de tout mon cœur que l'on

40 m'ait pendu plutôt que de voir ce qui m'arrive ! Hélas ! Je ne pourrai plus faire les marchés ; je n'ai plus qu'à quitter mon pays, à fuir dans une autre terre pour y gagner pauvrement mon pain. Pourtant, je vais aller voir le seigneur et je lui raconterai le malheur qui est arrivé à mon cheval que j'avais placé sous sa

45 sauvegarde[2] : je verrai bien s'il me le rendra et s'il prendra pitié de moi. »

Tout en pleurant, il s'en va trouver le seigneur.

« Sire, dit-il, que Dieu vous donne plus de joie qu'il ne m'en a accordé ! »

Notes

1. **toute rouerie et toute perfidie** : ruse et tromperie.

2. **sous sa sauvegarde** : protection, garantie.

50 Et le seigneur, sans attendre, lui a courtoisement[1] répondu :

«Bel ami, que Dieu vous le compense largement[2]! Pourquoi pleurez-vous?

– Gentil seigneur, si vous voulez le savoir, je vais vous le dire et sans rien vous cacher. J'avais mis paître mon cheval dans vos
55 pâturages ; et j'ai fait là mon malheur, car les loups l'ont dévoré. Sire, j'en suis malade. On m'avait dit que si je le plaçais sous votre sauvegarde et que je le perdais, que ce soit dans un pré ou dans une écurie, vous m'en dédommageriez[3]. Sire, par une sainte prière je l'ai placé sous la sauvegarde de Dieu et sous la
60 vôtre et cela en toute confiance. Aussi je vous prie bien humblement, au nom de Dieu, si vous pensez la cause juste, de bien vouloir m'accorder quelque dédommagement.

Le seigneur lui répondit alors en riant :

«Ne pleurez pas pour cela ; remettez-vous. Promettez-vous de
65 me dire l'exacte vérité au sujet de votre cheval?

– Oui, je le jure sur la Sainte Trinité[4].

– Alors dis-moi : aussi vrai que je souhaite que Dieu me préserve d'être dans le besoin, si tu t'étais trouvé dans une grande nécessité et que tu aies été contraint de le vendre, pour combien
70 de deniers[5] l'aurais-tu laissé?

– Sire, je jure sur ma tête et sur la foi que je dois à Notre-Dame, et puissé-je être battu si je mens, qu'il valait bien soixante sous.

– Ami, je vous donnerai la moitié de soixante sous, soit trente sous, car c'est la moitié de votre cheval que vous avez placée
75 sous ma sauvegarde ; l'autre, vous l'avez remise entre les mains de Dieu !

Notes

1. **courtoisement** : avec une politesse raffinée.
2. **compense largement** : que Dieu vous le rende abondamment.
3. **vous m'en dédommageriez** : vous me donneriez de l'argent en réparation.

4. **la Sainte Trinité** : le Père (Dieu), le Fils (Jésus-Christ), et le Saint-Esprit.
5. **deniers** : unité monétaire au Moyen Âge.

– Sire, je ne la lui ai pas donnée, je l'ai simplement placée sous sa protection !

– Eh bien, ami, prenez-vous-en à lui ; allez le relancer dans sa terre, car je ne vous dédommagerai pas plus de votre cheval et Dieu me préserve ! Si vous l'aviez entièrement placé sous ma seule sauvegarde, vous auriez reçu la totalité des soixante sous. »

Le mercier quitte alors le seigneur et s'en retourne tout droit là où il avait installé son étal. Sa douleur était un peu allégée par l'argent qu'il avait reçu.

« Par la foi que je vous dois, Saint Père, se disait-il, si je pouvais vous tenir et avoir pouvoir sur vous, à votre corps défendant[1], vous me rembourseriez trente sous ! »

Le mercier sortit de la ville tout en jurant sur saint Gilles que volontiers il s'en prendrait à Dieu et qu'il se dédommagerait s'il pouvait en trouver le moyen et qu'il s'en débrouillerait bien.

Quand il eut suffisamment ressassé son dépit[2], il vit venir à travers les prés un moine qui sortait du bois. Le mercier se dirigea vers lui et lui demanda :

« À qui appartenez-vous ?

– Brave homme, que voulez-vous dire ? J'appartiens à Dieu, notre Père.

– Ha ! Ha ! dit le mercier, beau frère[3], soyez le bienvenu. Et que la honte soit sur moi plus que quiconque si vous trouvez le moyen de m'échapper autrement qu'en chemise jusqu'à ce que j'aie reçu trente sous ! Allez, vite ! Retirez votre grande cape[4] sans faire de résistance ! Prenez garde que je ne vous frappe méchamment car, par sainte Marie, je vous donnerais une rossée[5] telle que vous n'en avez jamais reçu de semblable : elle serait

---

Notes

1. **à votre corps défendant** : contre votre volonté, sans votre accord.
2. **ressassé son dépit** : remâché son amertume.
3. **beau frère** : formule de respect.
4. **votre grande cape** : manteau à capuchon que portaient les moines.
5. **une rossée** : une volée de coups, une correction.

105 bien plus sévère encore! Je me paie sur vous des trente sous de dommage que m'a fait votre Maître.

– Mon frère, vous faites une mauvaise action, dit le moine; je suis entre vos mains mais, je vous en prie, rendons-nous devant le seigneur qui exerce le droit de justice sur cette terre. Aucun
110 moine ne doit avoir de dispute; si vous avez quelque grief[1] à mon égard, le seigneur saura bien ordonner qu'on fasse justice à chacun.

– Aussi vrai que je souhaite que Dieu m'accorde bonne fortune, répondit le mercier, je veux bien accepter de comparaître
115 devant le seigneur; mais dût-il me faire jeter dans l'oubliette la plus profonde du château, j'aurai d'abord votre belle chape[2] fourrée. Donnez-la-moi sans plus attendre ou, par mon serment, vous entrerez dans une mauvaise voie.

– Sire, de gré ou de force je vous la donnerai, dit le moine,
120 mais vous me faites là un bien grand outrage[3]!»

Il quitte alors sa chape et le mercier s'en empare. Tous les deux, moine et mercier, viennent alors s'en remettre au seigneur pour savoir lequel d'entre eux a raison dans la querelle qui les oppose.

125 «Sire, commença le moine, ce n'est pas une chose honnête ni une bien belle action que de me dépouiller de ma robe alors que je suis sur vos terres. N'est-il pas hors du sens[4], celui qui porte la main sur un prêtre? Sire, on m'a volé ma chape. Ordonnez qu'elle me soit rendue.

130 – Dieu m'en accorde réparation, rétorqua[5] immédiatement le mercier, vous mentez; je n'ai fait que vous prendre des gages[6] et je ne désire nullement vous nuire davantage. Je m'en remets au jugement du seigneur.

Notes

1. **grief**: reproche, plainte.
2. **chape**: cape.
3. **outrage**: affront, offense.
4. **hors du sens**: fou.
5. **rétorqua**: répondit.
6. **des gages**: des garanties.

– Ce que vous dites me comble d'aise, répondit le moine. Le jugement me donnera raison. Je n'ai pas d'autre maître que le Roi du Paradis…

– C'est à cause du dommage qu'il m'a causé, répliqua le mercier que je vous ai demandé réparation et que j'ai pris votre chape en gage et caution[1]. J'avais placé mon cheval sous sa garde et il est mort. À moins que le Diable ne me fasse brûler dans les feux de l'enfer, vous en paierez la moitié !

– Mercier, tu t'es bien trop hâté de prendre des gages d'une manière aussi expéditive, dit alors le seigneur, mais, sans plus poursuivre les débats, je vais sur l'heure rendre mon jugement au mieux que je le pourrai.

– C'est pour cela que nous nous sommes présentés devant vous, dit le moine.

– Le jugement sera rendu et le verdict devra être respecté, déclara le seigneur.

– Sire, dit le moine, je ne m'y opposerai pas.

– Ni moi, seigneur », dit le mercier.

Si alors vous aviez pu voir rire le seigneur et son entourage, vous n'auriez pu vous empêcher d'en faire tout autant !

« Prêtez tous attention à mon jugement, dit le seigneur, car je vais l'énoncer à haute voix. Seigneur moine, je vais vous proposer deux solutions, comme dans un jeu-parti[2], vous laisserez la plus mauvaise et vous vous en tiendrez à la meilleure. Si vous acceptez d'abandonner le service de Dieu et de la sainte Église et de jurer foi et hommage[3] à un autre seigneur, alors vous pourrez recouvrer[4] vos gages, mais si vous voulez continuer de servir Dieu ainsi que vous le faisiez, alors il vous faudra payer

1. **caution** : assurance.
2. **un jeu-parti** : divertissement de cour qui consistait à faire s'affronter deux jongleurs (poètes) sur un thème proposé, chacun défendant une opinion différente de l'adversaire.

3. **jurer foi et hommage** : prêter serment de fidélité et d'assistance réciproque entre un seigneur et son suzerain.
4. **recouvrer** : reprendre.

trente sous au mercier pour le dédommager. Maintenant faites comme bon vous semble. »

Quand le moine entendit ce verdict, il aurait de beaucoup préféré se trouver dans son abbaye car il vit bien qu'il ne pourrait s'en tirer sans y laisser des plumes !

« Sire, dit-il, je préférerais de beaucoup payer quarante livres plutôt que de renier[1] Dieu.

– Alors à coup sûr, vous serez mis à l'amende de trente sous, répliqua le seigneur, et vous pourrez mieux ainsi vous dédommager sans honte et avec de bonnes raisons sur les biens de Dieu car c'est à cause de Lui que vous subissez ce préjudice[2] ! »

Le moine n'osa pas dire un mot de plus. Et je peux vous affirmer que sire Richard, le moine, paya trente sous à la place de Dieu et il les paya intégralement sans discuter !

Que le Seigneur, qui dispense toute richesse et tout bienfait, protège du malheur ceux qui ont écouté cette histoire et celui qui l'a racontée ! Et maintenant donnez-moi à boire, si cela vous plaît !

Notes

1. **renier** : renoncer à croire en Dieu.   2. **ce préjudice** : ce tort.

Au fil du texte

Questions sur *Le pauvre mercier* (pages 63 à 69)

1 Quel conseil le marchand donne-t-il au mercier qui ne sait que faire du cheval ?

2 Qu'arrive-t-il à son cheval ?

3 Pourquoi le mercier va-t-il trouver le seigneur ?

4 Pourquoi le seigneur ne lui donne-t-il que la moitié du prix du cheval ?

5 Qu'est-ce que le mercier « emprunte » au moine qu'il rencontre et sous quel prétexte ?

6 Quelles sont les deux solutions que propose le seigneur au moine en rendant son jugement ?

ÉTUDIER LE VOCABULAIRE ET LA GRAMMAIRE

7 « *Dieu ! s'écria-t-il, je <u>préférerais</u> de tout mon cœur que l'on <u>m'ait</u> pendu plutôt que de voir ce qui m'arrive !* » (l. 39 à 40). À quels modes et à quels temps sont les verbes soulignés ? Analysez la dernière proposition.

> ** champ lexical :* ensemble de termes se rattachant à un même thème.

8 Relevez le champ lexical* de la justice.

ÉTUDIER LE GENRE DU TEXTE : LA LETTRE ET L'ESPRIT

9 Le mercier prend une expression « au pied de la lettre » à deux reprises : laquelle ?

10 Quelle conséquence comique en tire-t-il envers le moine ?

11 Comment le seigneur réagit-il par deux fois face au mercier qui lui demande justice ?

ÉTUDIER L'ÉCRITURE

12 « *Le Fils de Dieu ne trahit pas la confiance mise en lui, car le cheval ne sortit jamais de la prairie. Mais une louve affamée vint à passer par là ; elle sauta à la gorge du cheval, l'étrangla et le dévora.* » (l. 34 à 37) Quel lien unit ces deux phrases ?

13 À quel type de comique a-t-on affaire ici ?

ÉTUDIER UN THÈME : LES PUISSANTS

14 Comment est présenté le seigneur au début du *Pauvre mercier* ?

15 De quelles qualités fait-il preuve lorsque le mercier vient par deux fois lui demander justice ?

16 Que pensez-vous de cette façon de rendre la justice ?

17 Quelle image de la société féodale apparaît ici ?

À VOS PLUMES !

18 Il vous est sans doute déjà arrivé de vous sentir trahi par quelqu'un en qui vous aviez placé votre confiance. Racontez cette mésaventure en précisant les circonstances, vos sentiments, à qui vous avez eu recours, etc.

Un aveugle, un lépreux, un paralytique à la porte d'une ville, enluminure du XIVe siècle.

Les trois aveugles de Compiègne

par Courtebarbe

1   Je vais maintenant vous raconter l'histoire contenue dans un fabliau que je vais vous faire connaître. On tient pour sage un ménestrel[1] qui met tout son art à imaginer les beaux récits et les belles histoires que l'on raconte devant les comtes et les ducs.
5   C'est une bonne chose que d'écouter des fabliaux car ils font oublier maints[2] chagrins, maintes douleurs et maints ennuis. C'est Courtebarbe qui fit ce fabliau et je crois qu'il s'en souvient encore.

    Il arriva un jour que trois aveugles cheminaient près de Com-
10   piègne. Aucun d'entre eux n'avait de valet pour les guider et les conduire ou leur enseigner le chemin. Chacun d'eux avait une sébile[3]. Ils portaient de pauvres vêtements car ils n'avaient pas d'argent pour se vêtir. C'est dans cet état qu'ils suivaient le chemin qui mène à Senlis. Or, un clerc[4], qui venait de Paris et
15   avait plus d'un tour dans son sac, vint à rattraper les aveugles car il chevauchait à vive allure, monté sur un magnifique palefroi[5] et suivi d'un écuyer qui tirait un cheval de somme[6]. Il vit que

 Notes

1. **ménestrel** : musicien et poète ambulant.
2. **maints** : beaucoup.
3. **sébile** : petite coupe en bois (dont ils se servent pour mendier).

4. **un clerc** : étudiant rattaché à l'Église.
5. **un palefroi** : cheval de marche, de parade.
6. **un cheval de somme** : cheval de charge qui porte les fardeaux.

personne ne les guidait et pensa qu'aucun d'entre eux ne voyait clair : comment pouvaient-ils trouver leur chemin ? Il se dit :

20 «Que la goutte[1] me frappe si je ne me rends compte s'ils y voient quelque chose !»

Les aveugles l'avaient entendu venir ; ils se rangèrent promptement sur le côté du chemin et lui dirent :

«Faites-nous la charité. Nous sommes plus pauvres que n'im-
25 porte quelle créature, car celui qui ne voit rien est vraiment le plus pauvre.»

Le clerc, sur-le-champ, imagina un bon tour à leur jouer :

«Voici un besant[2] que je vous donne à tous les trois.

– Dieu vous le rende, par la sainte Croix, fait chacun d'eux, ce
30 n'est pas un vilain don !»

Chacun croit que c'est son compagnon qui l'a reçu. Le clerc les quitte alors en se disant qu'il veut voir comment ils partageront. Il mit pied à terre et prêta l'oreille à ce que disaient les aveugles. Le plus vieux des trois dit alors :

35 «Il ne s'est pas moqué de nous, celui qui nous a donné ce besant, car un besant est un bien beau don. Savez-vous ce que nous allons faire ? Nous allons retourner à Compiègne ; il y a bien longtemps que nous n'avons pas eu nos aises et il est juste que chacun ait un peu de plaisir. Compiègne est une ville où
40 l'on trouve tout ce qu'il faut !

– Voici une bonne parole, répondit chacun des deux autres.

– Pressons-nous de repasser le pont.»

Ils regagnèrent Compiègne dans le même équipage[3]. Ils étaient tout heureux et réjouis. Le clerc leur emboîta le pas en
45 se disant qu'il les suivra jusqu'à ce qu'il sache le fin mot de

---

Notes

1. **la goutte** : maladie des articulations.
2. **un besant** : pièce d'or d'une valeur d'une livre, c'est-à-dire vingt sous ou 240 deniers.

3. **dans le même équipage** : dans le même état, dans la même situation.

l'histoire. Ils entrèrent dans la ville et prêtèrent l'oreille à ce que l'on criait sur la place :

«Ici, il y a du bon vin nouveau bien frais, là du vin d'Auxerre, là du vin de Soissons, du pain, de la viande, du vin et du pois-
50 son ; ici, il est agréable de dépenser son argent ; il y a de la place pour tout le monde ; il est agréable d'être hébergé ici.»

Ils se dirigèrent dans cette direction sans crainte et entrèrent dans l'auberge. Ils appelèrent l'hôte et lui dirent :

«Prêtez-nous attention, et ne nous prenez pas pour des vaga-
55 bonds bien que nous ayons l'air bien pauvres. Nous voulons une chambre et nous vous paierons mieux que des gens plus élégants (c'est ce qu'ils lui ont dit et il les crut). Nous voulons être servis largement.» L'hôte pense qu'ils disent vrai, car de telles gens ont parfois beaucoup d'argent. Il s'empresse de les satisfaire et
60 les mène dans la meilleure chambre.

«Seigneurs, fit-il, vous pourriez rester ici une semaine en sa-tisfaisant toutes vos envies. Dans la ville entière, il n'y a pas un morceau de choix que vous ne puissiez avoir si vous le désirez.

– Sire, répondirent-ils, allez vite et faites-nous servir copieu-
65 sement !

– Faites-moi confiance», répondit le bourgeois et il partit.

Il leur prépara cinq grands services[1], pain et viande, pâtés et volailles, et des vins parmi les meilleurs puis il les leur fit porter et fit mettre du charbon dans le feu. Les aveugles se sont assis à
70 une bonne table.

Le valet du clerc a retenu un logement et mené les chevaux à l'étable. Le clerc, qui était bien élevé et vêtu avec recherche, déjeuna le matin et dîna le soir fort dignement en compagnie de l'hôte. Les aveugles furent servis dans la chambre haute comme
75 des chevaliers. Chacun d'eux menait grand tapage[2] ; ils se servaient le vin mutuellement : «Tiens, je t'en donne et je ne

---

Notes

1. services : ensemble des plats apportés en même temps sur la table.

2. menait grand tapage : faisait beaucoup de bruit.

m'oublie pas : ce vin est venu d'une bonne vigne ! » Ne croyez pas qu'ils se soient ennuyés ; au contraire ; jusqu'au milieu de la nuit, ils menèrent grande liesse[1]. Puis, les lits étant faits, ils allèrent se coucher jusqu'au lendemain assez tard. Le clerc était resté là car il voulait savoir le fin mot de l'histoire. L'hôte se leva de bon matin ainsi que son valet ; ils se mirent à compter à combien s'était élevée la dépense en viande et en poisson. Le valet déclara :

« En vérité, ils ont bien dépensé, en pain, en vin et en pâté pour plus de dix sous, tant ils ont fait bombance[2]. Quant au clerc, sa dépense s'élève à cinq sous.

— Avec lui, je ne risque pas d'avoir de problèmes ; mais va plutôt là-haut et fais-moi payer. »

Le valet, sans plus attendre, vint trouver les aveugles et leur demanda de se rhabiller sur-le-champ, car son maître voulait être payé. Ils lui répondent :

« Ne vous en faites pas, car nous le paierons largement. Savez-vous ce que nous devons ?

— Oui, dit-il, vous devez dix sous.

— Cela les vaut bien. »

Chacun se lève et tous les trois sont descendus dans la grande salle. Le clerc, qui se chaussait au pied de son lit, avait tout entendu. Les trois aveugles se sont adressés à l'hôte :

« Sire, nous avons un besant[3] et je crois qu'il pèse bien son poids. Rendez-nous donc la monnaie avant que nous ne commandions autre chose !

— Volontiers », fait l'hôte.

L'un des aveugles dit alors :

« Que celui qui l'a le lui donne, car, pour ma part, je ne l'ai pas.

— Alors c'est donc Robert Barbe-Fleurie !

Notes

1. **liesse** : joie.
2. **fait bombance** : fait un festin.
3. **besant** : voir note 2, p. 74.

– Je ne l'ai pas, mais je sais bien que c'est vous !

– Corbieu[1] ! Je ne l'ai pas.

– Alors qui l'a ?

110 – C'est toi.

– Non, c'est toi !

– Vous allez payer, maîtres truands, ou vous serez battus, explosa l'hôte, et jetés dans les latrines[2] puantes avant que vous ne partiez d'ici !

115 – Au nom de Dieu, grâce ! font-ils. Sire, nous vous paierons convenablement. »

Et ils se mettent à reprendre leur dispute.

« Robert, fait l'un, donnez-lui le besant. C'est vous qui marchiez devant : c'est donc vous qui l'avez reçu.

120 – Non c'est vous, vous qui veniez le dernier. Donnez-le-lui, car je ne l'ai pas.

– Eh bien, je suis arrivé à temps, fait l'hôte ; on veut me gruger[3]. »

Il donne un grand soufflet[4] à l'un et fait apporter deux gour-
125 dins. Le clerc, qui était aisé et que l'affaire amusait fort, se pâ-
mait[5] de rire et d'aise. Mais quand il vit que la dispute tournait mal, il vint trouver l'hôte et lui demanda ce qu'il y avait et ce qu'il voulait à ces gens. L'hôte lui dit : « Ils me doivent un écot[6] de dix sous pour ce qu'ils ont mangé et bu et ils ne font que
130 se moquer de moi mais je vais bien leur en donner pour leur argent : chacun va le sentir passer !

– Mettez-le plutôt sur mon compte, fait le clerc ; je vous devrai quinze sous. Il ne faut pas tourmenter les pauvres gens. »

Notes

1. **Corbieu** : juron signifiant « corps de Dieu ».
2. **latrines** : cabinets, fosses d'aisances, c'est-à-dire nos actuelles toilettes.
3. **gruger** : voler.

4. **un soufflet** : une gifle.
5. **se pâmait** : s'évanouissait, perdait connaissance sous l'effet du rire.
6. **un écot** : somme d'argent due pour un repas pris en commun.

L'hôte répondit :

135 «Très volontiers ; vous êtes un clerc franc et généreux. »

Et les aveugles purent partir quittes[1] de tout.

Écoutez maintenant quel autre subterfuge[2] le clerc imagina. On sonnait alors la messe ; il vint trouver l'hôte et lui dit :

«Hôte, connaissez-vous le curé de l'église ? Ces quinze sous, 140 les lui en feriez-vous crédit s'il s'engageait à vous les payer pour moi ?

– Pour cela, je n'en doute pas, fait le bourgeois ; par saint Sylvestre, je ferais crédit au prêtre, s'il le voulait, pour plus de trente livres !

145 – Alors acceptez que je m'acquitte de ma dette dès mon retour : je vous ferai payer à l'église. »

L'hôte acquiesce[3] et le clerc ordonne aussitôt à son valet de préparer son palefroi[4] et ses bagages de manière à ce que tout soit prêt pour son retour, et il demande à l'hôte de l'accompa- 150 gner. Tous les deux gagnent l'église et pénètrent jusque dans le chœur. Le clerc qui doit les quinze sous a pris son hôte par la main et l'a fait asseoir près de lui, puis il lui dit :

«Je n'ai pas le loisir de rester jusqu'à la fin de la messe mais je vous ferai régler mon dû. Je vais aller lui dire qu'il vous paie 155 intégralement les quinze sous dès qu'il aura fini de chanter sa messe.

– Faites comme vous l'entendez», répondit le bourgeois tout confiant.

Le prêtre, qui devait commencer à dire la messe, avait revêtu 160 sa chasuble[5]. Le clerc, qui savait ce qu'il avait à dire, vint se placer devant lui. Il avait l'air d'un gentilhomme et avait un

---

Notes

1. quittes : libérés de leur dette.
2. subterfuge : ruse.
3. acquiesce : accepte.

4. palefroi : voir note 5, p. 73.
5. sa chasuble : vêtement de dessus que met le prêtre pour célébrer la messe.

visage candide[1]. Il tira douze deniers de sa bourse et les glissa dans la main du prêtre :

«Sire, fait-il, au nom de saint Germain, accordez moi votre
165 attention. Tous les clercs doivent s'entraider : c'est pour cela que je suis venu vous trouver. J'ai passé la nuit dans une auberge appartenant à un bourgeois très aimable; que le doux Jésus le soulage : c'est un brave homme, honnête et droit, mais, hier soir, une cruelle maladie lui a attaqué le cerveau alors que nous
170 faisions la fête et il en a perdu la raison. Dieu merci, il va mieux mais la tête lui fait encore mal. Aussi je vous prie de lui lire un Évangile au dessus de la tête[2] lorsque vous aurez fini la messe.

– Par saint Gilles, fit le prêtre, je le lui lirai.» Et, s'adressant au bourgeois :
175 «Je le ferai dès que la messe sera terminée et j'en déclare le clerc quitte[3].

– Je ne demande pas mieux, répliqua le bourgeois.

– Sire prêtre, que Dieu vous garde, fait le clerc. Adieu, beau maître.»
180 Le prêtre monta alors à l'autel et commença à chanter la grand-messe. C'était dimanche et beaucoup de gens étaient venus à l'église. Le clerc, qui était bien élevé, vint prendre congé de son hôte et le bourgeois, sans plus attendre, le raccompagna jusqu'à l'auberge.
185 Le clerc monta à cheval et s'éloigna. Et le bourgeois, sitôt après, revint à l'église : il avait hâte de recevoir ses quinze sous et, en vérité, il pensait les avoir sans problème. Il attendit dans le haut du chœur que la messe soit terminée et que le prêtre se

Notes

1. candide : innocent.
2. lire un Évangile au-dessus de la tête : pour l'exorciser, pour chasser de lui le diable qui, selon le clerc, l'aurait rendu fou.

3. j'en déclare le clerc quitte : c'est-à-dire, je reconnais qu'il a payé (l'exorcisme et non ce qu'il doit à l'aubergiste, d'où le quiproquo qui va suivre).

soit dévêtu. De son côté, le prêtre, sans perdre de temps, a pris
190 ses Évangiles et son étole[1] et il a appelé :

«Sire Nicolas, approchez-vous et agenouillez-vous!»

Quand il entend ces mots, le bourgeois n'est pas des plus heureux et il réplique :

«Je ne suis pas venu pour cela. Payez-moi plutôt mes quinze
195 sous!

— Ma parole! Il est vraiment fou! se dit le prêtre.

Nomini...[2] Mon Dieu, secourez l'âme de ce brave homme car,
en vérité, je vois bien qu'il est fou!

— À moi! s'écria le bourgeois, à moi! Voyez comme ce prêtre
200 se moque de moi! Peu s'en est fallu que je n'en perde le sens
quand je l'ai vu arriver avec ses Évangiles!

— Beau doux ami, dit le prêtre, je vous dirai simplement que
quoi qu'il advienne, il faut toujours penser à Dieu et dès lors il
ne peut rien vous arriver de mal.»

205 Il lui pose les Évangiles sur la tête avec l'intention d'en lire un
passage, mais le bourgeois commence à lui dire :

«J'ai du travail à l'auberge et je n'ai pas de temps à perdre avec
ces plaisanteries. Donnez-moi vite mon argent.»

Le prêtre est fort contrarié; il appelle tous ses paroissiens qui
210 s'attroupent autour de lui et il leur dit :

«Saisissez-vous de cet homme, car je vois bien qu'il est fou!

— Pas le moins du monde, fait le bourgeois, par saint Cor-
neille! Mais, sur la tête de ma fille, vous me paierez mes quinze
sous et vous ne vous moquerez pas de moi plus longtemps.

215 — Attrapez-le vite», réplique le prêtre.

Sans une hésitation, les paroissiens le maîtrisent tout aussitôt et
lui tiennent les deux mains. Chacun essaie de le réconforter de
son mieux et le prêtre apporte les Évangiles. Il les lui pose sur

---

Notes

1. son étole : bande de tissu brodé que
le prêtre porte autour du cou et qui est
l'insigne de son pouvoir ; il s'en sert pour
exorciser.

2. *Nomini*... : Au nom du Père..., en latin.

la tête et il lui lit un passage de bout en bout, l'étole autour du cou. C'est bien à tort qu'il le prenait pour fou. Il l'asperge d'eau bénite. Le bourgeois n'a plus d'autre envie que de revenir à son auberge. On le relâcha et le prêtre le bénit en lui disant :

«Vos tourments sont maintenant terminés.»

Le bourgeois se tient coi[1] mais il est furieux et dépité[2] d'avoir été ainsi abusé. Mais néanmoins heureux de pouvoir s'en aller, il revint tout droit à son auberge.

Courtebarbe ajoute en conclusion qu'à tort on porte dommage à maintes personnes. C'est ainsi que je terminerai mon conte.

Notes

1. **se tient coi** : reste silencieux.
2. **dépité** : vexé.

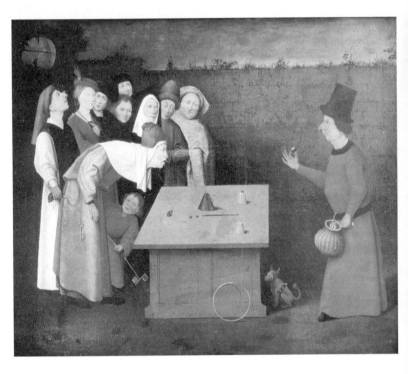

L'Escamoteur,
tableau de Jérôme Bosch (1450-1516).

Le repas de Villon et de ses compagnons

(conte en vers du XVᵉ siècle, inspiré des fabliaux)

1 « Celui qui n'a ni or ni argent ni appointements**¹**
Comment peut-il faire bonne chère**²** ?
Il lui faut vivre d'expédients**³**
C'est la façon habituelle.
5 Si seulement nous pouvions trouver le moyen
De berner**⁴** quelqu'un pour pouvoir faire un bon repas…
Celui qui y réussira sera le plus fort. »
Ainsi devisaient**⁵** les compagnons
Du bon maître François Villon**⁶**
10 Qui n'avaient pas un sou en poche
Ni toit pour s'abriter ni natte pour dormir.
Il leur répondit : « Ne nous tracassons pas
Car aujourd'hui même, sans nul défaut,
Vous aurez du pain, du vin et des provisions à foison**⁷**
15 Et aussi du rôti tout chaud. »

Notes

1. **appointements** : salaire.
2. **faire bonne chère** : faire un bon repas.
3. **expédients** : être obligé de trouver des moyens peu honnêtes pour vivre.
4. **berner** : tromper.

5. **devisaient** : parlaient familièrement.
6. **François Villon** : poète du XVᵉ siècle qui mena une vie dissolue. Il fut condamné à mort puis banni.
7. **à foison** : en abondance.

Alors il leur demanda
Ce qu'ils voulaient se mettre sous la dent.
L'un souhaita du bon poisson,
L'autre demanda de la viande.
20 Maître François, le joyeux luron,
Leur déclara : «Ne vous en faites pas :
Vous pouvez desserrer vos pourpoints[1]
Car nous mangerons à notre suffisance!»

Alors il quitta ses compagnons
25 Et alla à la poissonnerie.
Il les abandonna de l'autre côté des ponts,
Les laissant à leur mélancolie.
Il acheta à prix fort
Un panier rempli de poisson,
30 En donnant l'impression, je peux vous l'assurer,
D'être un homme de haute condition.

Maître François se montra diligent[2]
D'acheter mais non pas de payer :
Il déclara qu'il donnerait l'argent
35 Comptant au garçon qui lui porterait le panier.
Il quitta la poissonnerie sans en dire plus, accompagné du
[jeune garçon,
Et revint en passant par Notre-Dame
Où il vit le curé du lieu
Qui confessait un homme ou une femme.

40 Quand il le vit, brièvement
Il lui demanda : «Monseigneur, je vous prie,

Notes

1. **pourpoints** : vestes serrées.   2. **diligent** : empressé.

Si cela ne vous ennuie pas, de bien vouloir dépêcher[1]
Mon neveu car je peux vous assurer
Qu'il est d'un naturel si rêveur
45 Qu'il néglige beaucoup trop ses devoirs envers Dieu ;
Il a d'ailleurs l'esprit si troublé
Qu'il ne parle de rien d'autre que d'argent.

— Vraiment, répondit le curé,
Je le ferai très volontiers. »
50 Maître François prit alors le panier
Des mains du jeune garçon et lui dit : «Mon ami,

[approchez-vous.

Voilà la personne qui vous dépêchera
Dès qu'il en aura terminé avec ses occupations. »
Après quoi maître François s'esquive[2]
55 En emportant le panier avec lui.

Quand le curé eut fini
De confesser la personne qui était avec lui,
Gagne-denier[3], qui méritait bien son nom,
Se précipita vers lui
60 En lui disant : «Monseigneur, je vous assure
Que s'il vous plaisait de prendre le temps
De me dépêcher sur-le-champ,
Vous me feriez grand plaisir.
— Je le veux bien, en vérité,
65 Dit le curé, je vous le promets.
Dites le bénédicité[4]

1. **dépêcher** : ce mot a un double sens, il signifie « confesser et absoudre de ses péchés » et « payer » ; d'où le quiproquo entre le prêtre et le jeune garçon.
2. **s'esquive** : disparaît.

3. **Gagne-denier** : nom amusant inventé pour convenir au personnage.
4. **le bénédicité** : prière que l'on dit avant le repas.

Et puis je vous confesserai,
Et ensuite je vous absoudrai[1]
Comme je dois le faire ;
70 Après quoi je vous donnerai une pénitence[2]
Dont vous aurez bien besoin !
– Me confesser ! Quelle idée ! dit le pauvre garçon,
N'ai-je pas été absous le jour de Pâques ?
Saint Pierre de Rome m'en soit témoin,
75 Je réclame cinquante sous.
Qu'est-ce qui se passe ?
Où sommes-nous ?
Ma maîtresse ne plaisante pas !
Vite, vite, dépêchez-vous,
80 Payez-moi mon panier de poisson.

– Ah ! Mon ami, ce n'est pas un jeu.
Vraiment, dit le curé,
Il vous faut bien penser à Dieu
Et le prier en toute humilité[3].
85 – Sur ma tête, j'aurai satisfaction,
Répliqua le garçon. Sans tergiverser[4],
Dépêchez-moi sans plus attendre
Ainsi que ce seigneur qui m'accompagnait l'a ordonné. »
Alors le curé vit bien
90 Qu'il y avait eu quelque tromperie ;
Quand il en entendit nommer l'auteur
Il comprit parfaitement la fourberie.
Le pauvre garçon coursier, je vous prie de me croire,
N'apprécia pas beaucoup la mésaventure
95 Car il ne reçut, je vous l'affirme

Notes

1. **absoudrai** : pardonnerai vos péchés.
2. **une pénitence** : peine que le confesseur impose à celui qui regrette ses péchés.

3. **en toute humilité** : avec soumission, modestie.
4. **Sans tergiverser** : sans hésiter.

Ni or ni argent et ne récupéra pas même son poisson.
Maître François, grâce à son astuce,
Trouva ainsi l'art et la manière
D'avoir du poisson en grande quantité
100 Pour banqueter et se divertir.
Il était la mère nourricière
De ceux qui n'avaient pas d'argent.
C'était un homme fort habile
À tromper tout le monde.

Au fil du texte

AVEZ-VOUS BIEN LU ?

1) Dans *Les trois aveugles de Compiègne*, pourquoi le clerc décide-t-il de jouer un bon tour aux trois aveugles quand il les rencontre sur la route de Senlis ?

2) En quoi consiste ce tour ?

3) Que font les trois aveugles lorsqu'ils se croient riches ?

4) Pourquoi le clerc les suit-il ?

5) Que propose-t-il ensuite à l'aubergiste pour régler sa dette ?

6) Que demande-t-il au prêtre et que lui donne-t-il en échange ?

7) Que fait le prêtre à l'aubergiste ?

8) Dans *Le repas de Villon et de ses compagnons*, de quel argument se sert maître François pour quitter la poissonnerie sans payer le panier de poisson qu'il a acheté ?

9) Que demande-t-il au curé de Notre-Dame ?

10) Que comprend celui-ci ?

11) Pourquoi le garçon coursier est-il étonné lorsque le curé veut le confesser ?

12) Qu'avait-il compris dans la demande de maître François ?

ÉTUDIER LE VOCABULAIRE ET LA GRAMMAIRE

13 Dans *Les trois aveugles de Compiègne*, justifiez l'orthographe de l'adjectif indéfini dans l'expression *« de telles gens »* dans la phrase *« L'hôte pense qu'ils disent vrai, car de telles gens ont parfois beaucoup d'argent »* (l. 58).

14 Dans *Le repas de Villon*, cherchez l'étymologie* du verbe *absoudre* (l. 68), et les mots formés sur le même radical. À quel registre autre que la religion appartiennent-ils ?

> * **étymologie :** son origine, sa racine.

ÉTUDIER LE DISCOURS

15 Dans *Les trois aveugles de Compiègne*, comment nomme-t-on l'emploi du présent qui vient se substituer aux temps du passé dans le récit ? Quel effet produit-il ? Exemple : *« Le bourgeois se tient coi mais il est furieux et dépité d'avoir été ainsi abusé »* (l. 224 à 225).

16 Dans *Le repas de Villon*, quelles remarques pouvez-vous faire sur la ponctuation de la strophe 8 (à partir de *« Me confesser ! Quelle idée ! dit le pauvre garçon »*, l. 72 à 80) ? Quels sentiments sont exprimés par cette ponctuation ?

ÉTUDIER LE GENRE DU TEXTE :
LE COMIQUE DE QUIPROQUO

> * **quiproquo :** erreur qui consiste à prendre une personne ou une chose pour une autre.

17 Dans *Les trois aveugles de Compiègne*, sur quel quiproquo* repose le tour joué aux aveugles par le clerc ? Quelle phrase l'exprime clairement ?

18 Dans *Le repas de Villon et de ses compagnons*, sur quel mot repose le quiproquo créé par Maître François ?

19 Expliquez le quiproquo grâce aux répétitions de ce mot.

20 Relevez la phrase, prononcée par le garçon coursier, qui permet au curé de comprendre qu'il a été berné.

ÉTUDIER L'ÉCRITURE

21) Dans *Les trois aveugles de Compiègne*, le clerc déclare à l'aubergiste à propos des aveugles : « *Il ne faut pas tourmenter les pauvres gens.* » (l. 133) En quoi ces paroles peuvent-elles être jugées comme du cynisme* ?

> *** cynisme :** attitude brutale, provocante, contraire à la morale commune.

22) Dans *Le repas de Villon*, relevez la phrase prononcée par le garçon coursier dans laquelle le mot à l'origine du quiproquo est employé avec son sens habituel. Quel est l'effet recherché ?

ÉTUDIER UN THÈME : FARCES ET ATTRAPES

23) Dans *Les trois aveugles de Compiègne*, de quels défauts et de quelles qualités le clerc fait-il preuve à l'égard des trois aveugles en leur jouant un tour ?

24) Montre-t-il exactement le même caractère à l'égard de l'aubergiste ? Pourquoi ?

25) Que pensez-vous de la conclusion de Courtebarbe ?

26) Dans *Le repas de Villon et de ses compagnons*, montrez que la farce jouée par maître François repose sur le même schéma que celle jouée par le clerc à l'aubergiste dans *Les trois aveugles de Compiègne*.

27) La morale du conteur à la fin du fabliau est-elle la même ?

À VOS PLUMES !

28) À votre tour, racontez de façon amusante comment vous vous êtes « débarrassé » de quelqu'un à qui vous aviez fait une promesse, ou bien à qui vous deviez quelque chose, en faisant intervenir quelqu'un d'autre à votre place, sous un prétexte fantaisiste. Décrivez les sentiments que vous avez ressentis durant cette farce. Racontez comment s'est terminé ce subterfuge, à votre avantage ou non.

LIRE L'IMAGE

29 Observez l'illustration de la page 72. Par quels signes distinctifs sont caractérisées les infirmités des trois personnages représentés ?

30 Pourquoi, selon vous, se trouvent-ils « à la porte d'une ville » ?

31 Quelle analogie y trouve-t-on avec le fabliau des *Trois aveugles de Compiègne* ?

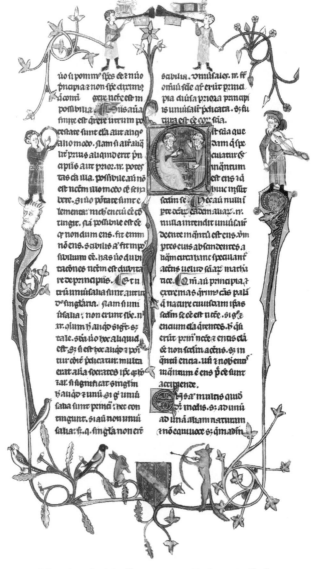

Histoire de Merlin, manuscrit du XIIIᵉ siècle.

Retour sur l'œuvre

Activités autour des *Fabliaux du Moyen Âge*

LA NARRATION DANS LES FABLIAUX

❶ Caractérisez le genre littéraire des fabliaux à l'aide de deux adjectifs que vous justifierez. Qu'en déduisez-vous sur les deux fonctions des fabliaux ?

❷ Le narrateur

a) Apparaît-il dans tous les fabliaux ?

b) À quels moments prend-il la parole et dans quel but ? (Citez des exemples.)

PERSONNAGES ET RÔLES SOCIAUX

❸ Les enfants dans les fabliaux
(Citez des exemples à l'appui de vos réponses.)

a) Quels fabliaux mettent en scène des enfants ?

b) Quels traits de caractère ont-ils en commun ?

c) Comment se comportent-ils par rapport aux adultes ?

d) Dressent-ils un portrait valorisant ou dévalorisant de l'enfance ?

❹ La femme dans les fabliaux
(Citez des exemples à l'appui de vos réponses.)

a) Quels fabliaux mettent en scène des femmes ?

b) Quels traits de caractère ont-elles en commun ?

c) Comment se caractérise la condition féminine à cette époque ?

d) L'image qu'elles donnent de la femme au Moyen Âge est-elle positive ou négative ?

5) Le paysan dans les fabliaux

a) Quelle est sa situation matérielle ?

b) Quels sont ses défauts et ses qualités (moraux et intellectuels) ?

c) Les mésaventures dont il est la victime se terminent-elles bien ou mal pour lui ?

LA TROMPERIE ET LE COMIQUE DANS LES FABLIAUX

6) Quels fabliaux font le récit d'une tromperie ?

7) Dans quels buts ces tromperies sont-elles imaginées ?

8) Sont-elles en général réussies ?

9) Donnez un exemple de comique de caractère tiré des fabliaux.

10) Donnez un exemple de comique de langage tiré des fabliaux.

11) Donnez un exemple de comique de situation tiré des fabliaux.

12) Quel type de comique est le plus fréquent ?

13) Quel comique préférez-vous, dans quel fabliau ?

a) Expliquez pourquoi.

b) Résumez ce fabliau en une dizaine de lignes.

LE LEXIQUE DU MOYEN ÂGE

14) Retrouvez dans les textes les mots correspondant aux définitions suivantes :
un paysan – unité monétaire au Moyen Âge – un pantalon – de la bière – une soupe épaisse et chaude faite de pain ou de gâteau et de lait – une arme en forme d'arc en acier qui lance des flèches – un grand gobelet pour boire – le prêtre – un cheval de cérémonie – un cheval de bataille – poliment – la jeune fille – l'officier seigneurial chargé de maintenir l'ordre et de faire respecter la justice du

seigneur – un étudiant ou un homme instruit, souvent rattaché à l'Église – un musicien et poète ambulant – nos actuelles « toilettes ».

RELISEZ LES FABLIAUX
ET RÉPONDEZ PAR VRAI OU FAUX

15 Dans *Le vilain de Farbus*, la femme du vilain demande à son mari de lui rapporter du marché un fromage.

❏ Vrai ❏ Faux

16 Dans *Le paysan devenu médecin*, la fille du roi est malade car elle a une arête de poisson dans le gosier.

❏ Vrai ❏ Faux

17 Dans *Brunain, la vache du prêtre*, la vache du vilain se nomme Blérain.

❏ Vrai ❏ Faux

18 Dans *Le tailleur du roi et son apprenti*

a) le chambellan apporte aux apprentis du pain et du chocolat pour leur repas.

❏ Vrai ❏ Faux

b) Nidui cache la toise du tailleur pour le faire passer pour fou.

❏ Vrai ❏ Faux

19 Dans *Les perdrix*, le vilain a invité le chapelain à partager son repas.

❏ Vrai ❏ Faux

20 Dans *Les trois aveugles*, le clerc fait semblant de donner un denier aux aveugles.

❏ Vrai ❏ Faux

LES NOMS PROPRES

21 De quels récits proviennent ces personnages ?

a) Robin..

b) Hersant...

c) Dom Constant ....

d) Sire Richard..

e) Robert Barbe-fleurie..

f) Gombaut...

g) Gagne-denier...

h) Nidui..

i) Aude ....

Dossier Bibliocollège

Fabliaux du Moyen Âge

Les fabliaux sont des « contes à rire en vers », très appréciés de la fin du XIIe siècle jusqu'au début du XIVe. Près de 150 fabliaux nous sont parvenus, souvent sans nom d'auteur. On retiendra cependant ceux de quatre auteurs « connus » : Jean Bodel, Bernier, Courtebarbe et Rutebeuf.

Entre les XIe et XIVe siècles, les villes se développent et une nouvelle classe sociale apparaît : la bourgeoisie. Le fabliau, qui s'oppose à la littérature courtoise (« de Cour ») par ses sujets concrets et son rire grossier, voire obscène, vise à toucher ce nouveau public.

Fabliaux du Moyen Âge

Fabliau est une forme picarde de l'ancien français *fablel* (« fable »). Il désigne un court récit écrit en vers de 8 syllabes à rimes plates. Les fabliaux naissent de l'imagination et de l'observation de leurs auteurs (jongleurs ou clercs). Ils développent le goût du gros comique, peignent la vie courante avec réalisme et sont une satire malicieuse des hommes et des femmes de l'époque. La moralité finale est parfois douteuse.

Les fabliaux sont très populaires car tout le monde s'y retrouve : marchands, artisans, prêtres, paysans, seigneurs… Et c'est lors de foires, de fêtes ou de banquets que des jongleurs viennent les conter.

Un schéma narratif en 5 étapes

Tous les fabliaux, comme les contes, obéissent à un schéma narratif en cinq étapes. Nous avons pris « La couverture partagée », fabliau attribué à Bernier (p. 11), comme exemple.

Étape 1 : situation initiale

- **Qui ?** Un homme (A) riche et sage, très attentionné pour son fils (B).
- **Quand ?** *« Jadis »*.
- **Où ?** À Poitiers.
- **Quoi ?** Quand B est en âge de se marier, A remet tous ses biens à B. À son tour, B a un fils (C) et héberge gracieusement A…

Étape 2 : élément perturbateur (le problème)

- … *« Jusqu'au jour où »* la femme de B ne veut plus de A chez elle. Elle demande à B de le chasser.

Étape 3 : péripéties (suite d'actions)

- B va trouver A et lui demande vivement de partir.
- A insiste pour obtenir un vêtement afin de ne pas mourir de froid.
- B envoie C lui chercher une couverture d'un des chevaux.

Étape 4 : élément de résolution (dénouement : échec ou succès)

- Ici, c'est un succès grâce au stratagème de C qui partage la couverture en deux, obligeant ainsi B à se rendre compte de l'injustice faite envers A ; honte de B qui réalise qu'il a mal agi.

Étape 5 : situation finale (différente de la situation initiale)

- A récupère ses biens et la faculté de les gérer à son gré.

1096
Iʳᵉ croisade
Le pape appelle les chrétiens à libérer les Lieux saints occupés par les Turcs musulmans.

987-996
Règne d'Hugues Capet
Début de la dynastie capétienne.

476
Chute de l'Empire romain d'Occident.

LE MOYEN ÂGE EN 10 REPÈRES

1492
Découverte de l'Amérique par Christophe Colomb.

Vers 1450
Invention de l'imprimerie par Gutenberg
Le premier livre imprimé, en Allemagne, est la Bible.

1163
Début des travaux de Notre-Dame de Paris.

1180-1328
Quelques règnes capétiens
• Philippe II Auguste
• Louis IX (Saint Louis)
• Philippe IV le Bel
• Charles IV le Bel
(dernier descendant direct d'Hugues Capet)

1328-1498
Règne des Valois
De Philippe VI de Valois (1328-1350) à Charles VIII (1483-1498)

1337-1453
Guerre de Cent Ans
Elle oppose la France à l'Angleterre et est entrecoupée de longues périodes de paix.

1346-1353
Épidémie de *peste noire*
Elle fait 25 millions de morts en Europe (le tiers de la population).

Les origines de notre langue

Le français est une langue romane, c'est-à-dire dérivée du latin. Elle vient du roman, puis de l'ancien français, puis du moyen français. Au Moyen Âge, le latin est la langue religieuse et celle du savoir ; le roman puis l'ancien français désignent la langue populaire, profane (non religieuse).

La chanson de geste

La chanson de geste désigne un long poème qui raconte des exploits guerriers et est destiné à être récité en public. À partir du XIe siècle, une abondante production épique se diffuse durant trois siècles. Ce goût pour les récits héroïques se répand notamment avec la *Chanson de Roland* (fin du XIe s.).

LA LITTÉRATURE EN FRANCE

La littérature courtoise

Dans la seconde moitié du XIIe siècle, la noblesse, qui a évolué dans sa composition et dans ses mœurs, se passionne pour des œuvres moins brutales : la littérature courtoise (« de Cour »). Le mythe de *Tristan et Iseult* et les romans de chevalerie de Chrétien de Troyes en sont les plus beaux exemples.

La littérature satirique et les fabliaux

La chanson de geste et la littérature courtoise s'adressant essentiellement à la noblesse, une littérature adaptée aux goûts de la bourgeoisie naît au XIIe siècle : des textes souvent malicieux, parodiques, comiques et réalistes voient le jour, notamment *Le Roman de Renart* et les fabliaux.

La noblesse

La noblesse se compose d'une **hiérarchie de seigneurs** : prince, duc, marquis, comte, vicomte, baron, chevalier, écuyer. Elle vit dans un **système féodal** où un seigneur (un suzerain) accorde un fief (un domaine) à un seigneur moins important (qui devient son vassal) en échange de services (militaire, financier).

Le clergé

La vie au Moyen Âge tourne autour de la religion et de l'autorité du **pape**. Les **clercs** (membres du clergé) vivent soit à l'écart (clergé régulier : abbés, moines…), soit parmi la population (clergé séculier : curés, prêtres…).

LA SOCIÉTÉ MÉDIÉVALE

La bourgeoisie

La bourgeoisie est une nouvelle classe sociale qui se développe avec la construction des villes (le *bourgeois* désigne un **habitant d'un bourg**). Elle acquiert de plus en plus d'importance et de pouvoir au cours du Moyen Âge. Elle se compose des marchands, des artisans, des tisserands…

Les paysans

Les paysans représentent **80 à 90 %** de la population et sont soumis à des droits et des devoirs vis-à-vis des seigneurs qui leur louent des terres. Le servage disparaît peu à peu et les serfs sont remplacés par des paysans libres, appelés « **vilains** ».

Les marginaux

Ce sont les voleurs, les gueux, les lépreux, les prostituées, les asociaux, les mendiants, et aussi les juifs, les Italiens et les gitans.

L'enfance

Les **garçons pauvres travaillent** dès 7 ans, du matin au soir, chez des maîtres artisans et les filles sont placées chez les épouses de ces artisans. Dans les **classes aisées**, un **précepteur** instruit les garçons dès 8 ans. Les filles restent à la maison et se préparent à être mariées vers 12 ans.

La fête

La fête permet d'oublier la dureté de la vie. Elle se déroule dans la ville. Les fêtes religieuses sont fréquentes. Le **carnaval**, pendant lequel tout est permis, est l'occasion de profiter de l'existence.

LE MOYEN ÂGE DES FABLIAUX

Une période de prospérité

À partir de la moitié du XIe siècle et jusqu'à l'épidémie de *peste noire*, la France est prospère. Les villes se développent. C'est la **naissance de la bourgeoisie** et d'un nouveau commerce, avec les foires et les marchands ambulants.

Les nouvelles villes

La vie urbaine s'organise autour de l'église, de la cathédrale et de l'hôtel de ville. La vie sociale se concentre sur la place du marché où foires et fêtes se succèdent. Les paysans, quittant les villages, sont confrontés à des **difficultés** car la solidarité existe moins dans les villes. On y rencontre déjà beaucoup de **mendiants**.

Le mot *fabliau* est un diminutif du mot *fable* (du latin *fabula*, « récit, histoire ») et vient du dialecte alors parlé en Picardie. Il s'agit d'un court récit imaginaire que jongleurs, trouvères et troubadours racontaient en public dans les villes et les campagnes. Le fabliau propose une **intrigue simple** autour d'une **fourberie** : un personnage trompe quelqu'un de plus fort que lui. L'essentiel est de **faire rire**, de divertir, mais aussi d'**enseigner**, car ce récit s'achève par une **morale** destinée à critiquer les vices et les défauts des hommes.

I – Petit historique

➡ Origines et définition des fabliaux

Les fabliaux sont issus de la **tradition orale** des histoires à rire et sont majoritairement écrits au XIIIᵉ siècle, soit durant le règne de Saint Louis (1226-1270). C'est une période de prospérité économique et culturelle pour la France. Les goûts littéraires évo-

> **À RETENIR**
> Les fabliaux naissent à la fin du XIIᵉ siècle.

luent et les romans de chevalerie se font plus rares. On ne cherche plus seulement à exalter les lecteurs (avec le genre de l'épopée) mais aussi à les distraire.

Les fabliaux sont de petites histoires **en vers de 8 syllabes** (octosyllabes) et **en ancien français**, le français parlé au Moyen Âge. Ils se développent essentiellement dans les provinces du Nord et du Centre de la France. Si leur naissance est liée à celle

> **À RETENIR**
> La plupart des fabliaux sont anonymes.

d'une nouvelle classe sociale, la bourgeoisie (soit les habitants des bourgs, c'est-à-dire des villes), et si leurs auteurs ne reculent devant aucune grossièreté, ces fabliaux s'adressent à tous les publics. La plupart des 150 fabliaux, composés entre 1170 et 1340, qui nous sont parvenus sont anonymes. Seuls quelques auteurs, souvent des clercs (ecclésiastiques lettrés), sont connus : Jean Bodel, Rutebeuf…

➡ Disparition et continuité

Quand les fabliaux disparaissent au cours du XIVᵉ siècle, **la farce** fait son apparition. C'est un genre populaire propre au XVᵉ siècle mais qui reprend certaines histoires des fabliaux. La farce est une pièce de théâtre destinée à faire rire au moyen de situations simples et de personnages caricaturés (*farce* vient du verbe *farcer*, « jouer un tour à quelqu'un »). *La Farce de Maître Pathelin*, écrite vers 1464, en est un bon exemple.

> **À RETENIR**
>
> Les farces remplacent les fabliaux au XIVᵉ siècle.

II – Une dimension théâtrale

Le recours au dialogue, les indications de gestes et de déplacements et les précisions relatives aux décors font pencher le fabliau du côté du théâtre. Les récitants effectuent une **performance d'acteurs**. Dans la plupart des cas, les situations sont proches de la farce, comme dans « Estula ». Le ton est alerte, l'histoire est courte mais efficace. En outre, les nombreux dialogues donnent vie aux personnages tout en renforçant le réalisme de l'histoire.

Le comique des fabliaux

Dans les fabliaux, le comique est souvent proche de celui de la farce. On y rencontre :
– le comique de **gestes** : des menaces, des coups et des chutes en pagaille ;
– le comique de **mots** : des répétitions, des jeux de mots, des jurons, des grossièretés, etc. ;
– le comique de **caractère** : le jaloux, le fourbe, le prêtre peu scrupuleux, la mégère, etc. ;
– le comique de **situation** : le quiproquo.

III – Les personnages

Le fabliau met en scène un **nombre restreint de personnages** qui généralement s'opposent par leur milieu social et leur attitude morale (« La couverture partagée »). Ce sont des habitants des villes et des campagnes, qui reflètent la société de l'époque en pleine mutation. Toutes les couches sociales

> À RETENIR
> Toute la société est représentée dans les fabliaux, sauf les chevaliers.

sont représentées dans les fabliaux (nobles, prêtres, bourgeois, marchands, paysans, voleurs et gueux), à l'exception des chevaliers. Cette absence illustre le recul de la féodalité sous le règne de Saint Louis et l'affaiblissement de la noblesse au détriment de la bourgeoisie.

IV – Les thèmes abordés

Outre la tromperie, la domination de l'argent, la soif du pouvoir, l'exploitation d'autrui sont les thèmes principaux des fabliaux... Celui de **l'argent** y occupe certainement la place la plus importante et témoigne ainsi de la misère qui touche la société du Moyen Âge. Les **difficiles relations** entre les

> À RETENIR
> La tromperie, l'argent, le pouvoir sont les thèmes principaux.

hommes et les femmes, et au sein des couples, constituent aussi un des ressorts de l'intrigue. Enfin, **l'autorité** des seigneurs et des prêtres est souvent tournée en dérision, ce qui permet aux minorités de prendre leur revanche.

V – Une intrigue simple et réaliste

L'histoire racontée trouve souvent son origine dans **les difficultés de la vie quotidienne** des personnages, dans les réalités de l'époque. L'intrigue est simple et repose sur un conflit au cours duquel les personnages déploient toutes les ressources de la

> À RETENIR
> Les fabliaux puisent dans les réalités du Moyen Âge.

ruse pour le résoudre. Bien souvent, un renversement de situation se produit à la fin : **le trompeur devient le trompé** et l'aventure débouche sur une morale (« Les perdrix »).

VI – La morale

L'auteur intervient fréquemment pour introduire son histoire, commenter l'action ou tirer une morale. Il prend le parti des pauvres contre les riches, auxquels il reproche un manque de rigueur morale et religieuse (« Brunain, la vache du prêtre »). On peut même parler, à propos des fabliaux, de **« visée satirique »**, car les personnages sont caricaturés.

	Caractéristiques générales d'un fabliau
Expression	En vers (octosyllabes). Présence explicite de l'auteur.
Niveau de langue	Familier.
Registre	Comique.
Type de personnages	Personnages du quotidien qui s'opposent : ville/campagne ; nobles/paysans ; bourgeois/gueux.
Comportement des personnages	Rusé, ridicule, drôle.
Type d'intrigue	Un conflit de la vie quotidienne.
Dénouement	Retournement de situation : le trompeur est trompé à son tour.
Effet sur le spectateur	Comique.
Morale	La morale n'est pas toujours sauve.

Rusé vient de l'ancien français *reuser* (du latin *recusare*, « repousser, refuser »). Le rusé serait donc celui qui refuse, qui repousse les limites toujours plus loin... En tout cas, depuis 1268, il qualifie quelqu'un de malin, d'habile. Dans les fabliaux, il est sans cesse question d'un personnage qui trompe, qui ruse, et d'une victime, d'un trompé. De l'Antiquité à nos jours, le personnage du rusé tient une place de choix dans la littérature. Que l'on songe au renard du *Roman de Renart* (au Moyen Âge), mais aussi aux fables (La Fontaine...), aux contes (Perrault, Grimm...) ou à certains romans, tels que *Fifi Brindacier* (1945) d'Astrid Lindgren ou *Fantastique Maître Renard* (1970) de Roald Dahl.

Dans notre groupement de textes, ce thème est déroulé sur plusieurs siècles, en commençant par « l'homme aux mille ruses » de l'Antiquité, puis l'incontournable Renart, le théâtre de Guignol, pour finir avec un étrange Petit Chaperon... vert !

1 Homère, *Odyssée*

Ulysse, héros grec de l'Antiquité, privilégie la ruse à la force, à l'inverse d'Hercule ou d'Achille. Dans l'*Odyssée*, il innove et doit sa renommée à son intelligence et à sa ruse. Dans notre extrait, ce sont les Sirènes qu'Ulysse doit « combattre ».

Cependant le navire arrive promptement à l'île des Sirènes, car il était poussé par un souffle favorable. Mais bientôt le vent s'apaise, et le calme se répand dans les airs ; les flots sont assoupis par un dieu. Les matelots alors, se levant, plient les voiles et les déposent dans le vaisseau ; puis ils s'asseyent près des rames, et l'onde blanchit sous leurs efforts. Moi, cependant[1] avec mon glaive d'airain je divise en morceaux une grande masse de cire, que je presse dans mes mains vigoureuses ; la cire s'amollit aussitôt, parce que j'y mettais une grande force et que brillait la lumière du puissant Soleil, fils d'Hypérion ; j'enduis de cette cire les oreilles de tous mes compagnons rangés en ordre. Ensuite ils m'attachent les pieds et les mains au mât élevé ; là même ils me chargent de liens et, se rasseyant, ils frappent de leurs rames la mer blanchissante. Quand nous ne sommes éloignés que de la distance où la voix peut s'étendre, poursuivant notre route avec facilité, notre vaisseau rapide rapproché du rivage ne peut échapper aux regards des Sirènes ; aussitôt elles font entendre ce chant mélodieux :

« Approche, viens à nous, célèbre Ulysse, grande gloire des Grecs, arrête ici ton navire pour nous écouter. Nul homme n'a franchi ces lieux sans avoir entendu la voix mélodieuse qui s'échappe de nos lèvres ; celui qui cède à nos vœux retourne charmé dans sa patrie, en connaissant bien plus de choses. Nous savons tout ce que dans le vaste Ilion[2] les Grecs et les Troyens ont souffert par la volonté des dieux ; nous savons tout ce qu'il advient sur la terre féconde. »

Notes : **1. cependant** : pendant ce temps.   **2. Ilion** : autre nom de la ville de Troie.

Ainsi parlèrent les Sirènes d'une voix mélodieuse ; mon cœur désirait les écouter, et, faisant signe des yeux à mes compagnons, je leur commandais de me délier ; mais, en se courbant, ils ramaient avec plus d'ardeur. À l'instant, Euryloque et Périmédès se lèvent, me chargent de nouveaux liens, et me resserrent davantage. Quand nous eûmes franchi ces parages et qu'on n'entendit plus la voix des Sirènes ni leur chant séducteur, mes compagnons enlevèrent la cire qui fermait leurs oreilles et me dégagèrent de mes liens.

Homère, *Odyssée*, extrait du chant XII,
traduction de Jean–Baptiste Dugas–Montbel.

Questions sur le texte ❶

A. Quelle solution Ulysse adopte-t-il pour que ses compagnons résistent au chant des Sirènes ?

B. Quelle solution Ulysse choisit-il pour lui-même ? Pourquoi ?

C. Que raconte le chant des Sirènes ? Comment Ulysse y réagit-il ?

D. Dans un dictionnaire de mythologie grecque, trouvez la définition du mot *Sirène* puis dessinez-en une selon la description qui en est donnée.

❷ Le Roman de Renart

Le Roman de Renart est un recueil de 27 narrations en vers de 8 syllabes, écrites entre le fin du XIIe siècle et le début du XIIIe par des auteurs inconnus. Dans ces récits dont les héros sont des animaux, la flatterie est l'arme principale du trompeur. Dans notre extrait, Renart, affamé, attend sa nourriture sous un arbre. Le corbeau Tiécelin, plus entreprenant, vient de dérober un fromage malgré les insultes de la fermière…

Tiécelin s'éloigne et vient se percher sur le hêtre qui faisait de l'ombre à Renart. Les voilà tous les deux réunis par le même

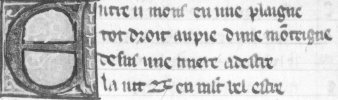

Renart et Tiécelin,
miniature extraite du *Roman de Renart*
(Paris, 1325-1350).

arbre, mais leur situation est loin d'être identique. Tiécelin déguste son plat préféré ; Renart, lui, aime autant le fromage que l'oiseau qui le tient dans son bec, mais n'a aucun moyen de s'en approcher.

Tiécelin entame le fromage à coups de bec et mange la partie la plus jaune et la plus crémeuse. Un morceau de la croûte lui échappe et tombe au pied de l'arbre. Renart lève alors la tête et salue Tiécelin qu'il voit fièrement perché, le fromage entre les pattes :

« Oui, je ne me trompe pas, c'est bien le seigneur Tiécelin ! Que Dieu vous protège, compère, vous et l'âme de votre père, le fameux chanteur ! Personne ne chantait aussi bien que lui en France, autrefois. Et vous, d'ailleurs, vous faisiez aussi de la musique, si je me souviens bien. Chantez-moi donc une petite ritournelle[1], puisque j'ai le plaisir de vous rencontrer. »

Ces paroles plaisent beaucoup à Tiécelin qui se croit le meilleur chanteur du monde. Il ouvre donc aussitôt la bouche et fait entendre un cri prolongé. « Ce n'est pas mal, dit Renart, mais si vous vouliez, vous pourriez chanter encore mieux. » Le corbeau recommence alors à crier. « Votre voix est belle, dit alors Renart, mais elle serait encore plus belle si vous ne mangiez pas tant de noix. Mais continuez quand même, je vous en prie. » L'autre, qui veut absolument montrer ce dont il est capable, crie de toutes ses forces, sans se rendre compte qu'il desserre peu à peu la patte qui tient le fromage. Il le laisse tomber juste aux pieds de Renart !

Le coquin en frémit de plaisir, mais il se garde bien d'y toucher. Il voudrait bien manger le corbeau en plus du fromage !…

Le Roman de Renart, extrait de « Renart et Tiécelin le corbeau »,
adaptation de Laurence de Vismes Mokrani, © Éditions Hatier, 2010.

Note

1. ritournelle : petit refrain.

| *Fabliaux du Moyen Âge*

Questions sur le texte ❷

A. Sur quels traits de caractère Renart s'appuie-t-il pour pousser Tiécelin à chanter ?

B. Comparez cette fable à celle de La Fontaine (I, 2) dans le tableau comparatif suivant :

	Le Roman de Renart	*Le Corbeau et le Renard*
Auteur		
Siècle		
Genre		
Déroulement de la scène du vol		
Noms et nombre des personnages		
Comportements des deux protagonistes		

❸ Laurent Mourguet, *Le Pot de confiture*

Laurent Mourguet (1769-1844) est le créateur à Lyon, vers 1804, du théâtre de marionnettes de Guignol. Dans cette pièce en un acte, Guignol est le domestique de la famille d'Octave. Dans la scène 3, ce dernier vient « gronder » Guignol, dont on découvre le caractère rusé et malicieux.

> OCTAVE. Ce n'est pas cela que je vous demande. Vous devez voir sur mon visage la colère et l'indignation.
>
> GUIGNOL. Je connais pas ces personnes-là !
>
> OCTAVE. Je vais me faire comprendre. Mon père m'a chargé de vous mettre à la porte.

GUIGNOL. Oh! je crains les courants d'air; puis j'ai pas de goût pour être portier, on est trop esclave.

OCTAVE. Mon père te chasse.

GUIGNOL. Il me prend donc pour un lièvre... Puis il peut pas, la chasse est pas ouverte.

OCTAVE. Il ne veut plus de toi.

GUIGNOL. Il veut plus de toit! C'est bien facile de le contester! Donnez-moi un moment; je grimpe en haut; et dans une heure il n'y aura plus une tuile sur la maison.

OCTAVE. Tu fais le plaisant, mais cela est sérieux, Mon père est très mécontent de ton service, et il n'en veut plus.

GUIGNOL. Et pourquoi donc ça, petit maître?

OCTAVE. Parce que tu es le plus fieffé[1] gourmand que la terre ait jamais porté.

GUIGNOL. Oh! Monsieur! pas gourmand, Guignol... J'aime que la soupe de farine jaune et le fromage fort.

OCTAVE. Tu ne bois pas non plus?

GUIGNOL. Rien que de l'eau... comme une petite grenouille...

OCTAVE. Nous avons malheureusement la preuve de ta gourmandise. Hier, des dames sont venues faire visite au château; mon père a voulu leur faire offrir des confitures... il n'y avait pas un pot entier.

GUIGNOL. Le confiseur les avait pas remplis. Y a si peu de bonne foi dans le commerce à présent.

OCTAVE. N'accuse pas le confiseur... Le coupable s'était trahi; on voyait la trace de ses doigts.

GUIGNOL. Par exemple!... Je les avais touchées qu'avec la langue.

OCTAVE. Tu l'avoues donc, malheureux!

Note

1. le plus fieffé : très, extrêmement.

Guignol, *à part.* Gredine de langue, scélérate[1], va! Je te loge, je te nourris et tu parles contre moi! Sois tranquille! *(Il se soufflette et se cogne contre le montant.)*

Octave. Drôle! je te ferai périr sous le bâton.

Laurent Mourguet, *Théâtre lyonnais de Guignol*,
extrait du «Pot de confiture», 1865.

Questions sur le texte ❸

A. Comment Octave découvre-t-il le mensonge de Guignol?

B. À quel registre de langue appartiennent les répliques de Guignol : soutenu, courant ou familier?

C. Relevez tous les éléments de langage (jeux de mots, calembours, double sens des mots…) qui montrent que le dialogue entre Guignol et Octave repose sur le comique de mots.

D. Qui fait des jeux de mots dans cette scène? Dans quel but?

Note

1. **scélérate** : criminelle.

4 Cami, *Le Petit Chaperon vert*

Humoriste français très populaire entre les deux guerres mondiales, Cami réécrit ici l'histoire du *Petit Chaperon rouge* de Charles Perrault. Son héroïne, à la capuche verte, n'a plus rien de l'innocence et de la naïveté de son illustre ancêtre…

La scène représente l'intérieur de la maison de la mère-grand.

LE LOUP QUI MANGEA JADIS LE PETIT CHAPERON ROUGE, *couché dans le lit.* Dès que j'ai aperçu le Petit Chaperon vert se diriger vers la maison de sa mère-grand, j'ai opéré de la même manière qu'autrefois pour le Petit Chaperon rouge. Je suis arrivé le premier chez la mère-grand. J'ai dévoré rapidement cette vieille dame, j'ai pris sa place dans le lit et j'attends le Petit Chaperon vert, il ne va pas tarder à heurter à la porte.

LE PETIT CHAPERON VERT, *frappant à la porte.* C'est votre fille le Petit Chaperon vert qui vous apporte une galette et un petit pot de beurre.

LE LOUP QUI MANGEA JADIS LE PETIT CHAPERON ROUGE, *adoucissant sa voix.* Tirez la chevillette et la bobinette cherra[1]. *(Le Petit Chaperon vert entre.)* Mets la galette et le petit pot de beurre sur la huche, et viens te coucher auprès de moi.

LE PETIT CHAPERON VERT, *à part.* Ciel! C'est le loup! Je reconnais la même phrase qu'il prononça jadis pour attirer le Petit Chaperon rouge dans le lit. Le misérable est en train de digérer mère-grand mais, grâce à mon idée, il lui sera impossible de me dévorer.

LE LOUP QUI MANGEA JADIS LE PETIT CHAPERON ROUGE. Eh bien, viens-tu te coucher, mon enfant?

Note

1. La bobinette et la chevillette sont deux pièces de bois qui faisaient partie des serrures d'autrefois. Il faut alors comprendre : « la porte s'ouvrira ».

LE PETIT CHAPERON VERT, *se couchant près du loup.* Me voilà! Oh! mère-grand, que vous avez de grands bras?

LE LOUP QUI MANGEA JADIS LE PETIT CHAPERON ROUGE. C'est pour mieux t'embrasser, mon enfant.

LE PETIT CHAPERON VERT. Mère-grand, que vous avez de grandes jambes!

LE LOUP QUI MANGEA JADIS LE PETIT CHAPERON ROUGE. C'est pour mieux courir, mon enfant.

LE PETIT CHAPERON VERT. Mère-grand, que vous avez de grandes oreilles!

LE LOUP QUI MANGEA JADIS LE PETIT CHAPERON ROUGE. C'est pour mieux t'écouter, mon enfant.

LE PETIT CHAPERON VERT. Mère-grand, que vous avez de grands yeux!

LE LOUP QUI MANGEA JADIS LE PETIT CHAPERON ROUGE. C'est pour mieux te voir, mon enfant! *(À part.)* Apprêtons-nous!

LE PETIT CHAPERON VERT. Mère-grand, que vous avez de grands bras!

LE LOUP QUI MANGEA JADIS LE PETIT CHAPERON ROUGE, *interloqué.* Mais tu l'as déjà dit, mon enfant!

LE PETIT CHAPERON VERT, *continuant.* Mère-grand, que vous avez de grandes jambes,

LE LOUP QUI MANGEA JADIS LE PETIT CHAPERON ROUGE. Mais tu répètes toujours la même chose! Voyons, il y a autre chose à demander, par exemple *(Insinuant.)* : mère-grand, que vous avez de grandes...

LE PETIT CHAPERON VERT. ... de grandes oreilles!

LE LOUP QUI MANGEA JADIS LE PETIT CHAPERON ROUGE. Mais non, de grandes... de grandes... *(Très insinuant.)* Ça commence par un *d.*

LE PETIT CHAPERON VERT. ... de grandes jambes!

LE LOUP QUI MANGEA JADIS LE PETIT CHAPERON ROUGE, *sautant du lit.* Enfer et damnation!!! Ce Petit Chaperon vert se joue de moi! Cette rusée petite fille s'obstine à ne pas dire : «Mère-grand, que vous avez de grandes dents!» Alors, naturellement, je ne peux pas sauter sur elle et lui répondre : «C'est pour te manger!» *(Avec un soupir de regret.)* Ah! où sont les enfants naïfs et faciles à dévorer d'autrefois?

(Il sort, furieux.)

> Cami, *L'Homme à la tête d'épingle*, extrait de l'acte II du
> «Petit Chaperon vert», © Éditions Pauvert, 1914.

Questions sur le texte ❹

A. Quelle est, contrairement à son illustre ancêtre, la question que le Petit Chaperon vert ne pose pas? Pourquoi?

B. En quoi les didascalies (indications de mise en scène) sont-elles importantes ici?

C. Rédigez, dans un court paragraphe, la moralité du *Petit Chaperon vert*?

Le trouvère Robert de Blois à son pupitre,
miniature extraite des *Chroniques du pseudo-Turpin*,
recueil de poésies de Robert de Blois et autres pièces (XIIIᵉ siècle).

Les fabliaux ne sont pas ou plus représentés de nos jours. Cependant, le Moyen Âge dont ils sont issus suscite toujours autant d'intérêt et demeure un thème présent dans l'art.

SUR LES ÉCRANS

– *Monty Python : sacré Graal* (1975) de Terry Gilliam et Terry Jones. Comédie parodique de la légende d'Arthur qui conte les mésaventures de ce roi et de ses chevaliers dans leur quête du Graal, au cours de laquelle ils doivent faire face à de nombreux obstacles.

– *Robin des bois, prince des voleurs* (1991) de Kevin Reynolds, avec Kevin Costner. Considéré comme un hors-la-loi, Robin se réfugie dans la forêt de Sherwood. Il y rencontre des brigands et s'allie à eux pour défier le shérif.

– *Les Visiteurs* (1993) de Jean-Marie Poiré, avec Christian Clavier, Jean Reno et Valérie Lemercier. L'action se situe en 1123, en France, sous le règne de Louis VI, dit « le Gros ». Un noble du Moyen Âge et son écuyer sont transportés dans le futur par un sorcier fou. Le comte Godefroy de Montmirail cherche alors l'aide de son descendant pour retourner dans le passé…

SUR LA TOILE

Quantité de sites proposent des jeux et des animations autour du Moyen Âge.

– Un jeu : education.francetv.fr/moyen-age/cm1/jeu/construis-ta-cite-medievale. Sur les terres d'un seigneur ou d'un monastère, de petits villages se regroupent autour d'une église. Pour assurer leur protection, le seigneur a fait bâtir un château fort. La population se divise en trois groupes où chacun trouve une place et un rôle : les gens du peuple, les nobles et les religieux. Au fil de la période, les villages évoluent pour se transformer en villes.

– Un jeu de rôles : www.ere-medievale.com. Nous sommes en l'an de grâce 1314 : le roi Philippe le Bel est mort. Ce tragique événement expose le royaume de France à des discordes et à l'insécurité : le trône est menacé. Vous incarnez un va-nu-pieds qui doit vivre comme au Moyen Âge.

– Des tests sur le Moyen Âge : www.jeux-historiques.com/jeux-historiques-sites-du-Moyen-age-_pageid83.html.

– Une présentation pédagogique : http://education.francetv.fr/moyen-age/cm1/jeu/comment-s-est-faite-la-france. Ce module propose de découvrir la société médiévale européenne, et notamment les trois ordres qui la constituaient, ainsi que les droits et les devoirs des vassaux et de leurs suzerains.

SUR LES PLANCHES

Au théâtre ou sur Internet, les humoristes d'hier (Raymond Devos, Coluche, Les Deschiens…) et d'aujourd'hui (François Damiens, Cyprien, Norman, Djamel Debbouze…), tels les troubadours du Moyen Âge, racontent de petites histoires sur les défauts de leur époque.

En été, le Festival d'Aurillac propose à des compagnies de théâtre de rue de jouer en plein air. Le Festival off d'Avignon est aussi un bon exemple de ces petites saynètes très appréciées au Moyen Âge.

À VOIR

Visitez le musée de Cluny à Paris, qui est dédié au Moyen Âge.

Observez les tableaux de Jérôme Bosch (v. 1450-1516), *La Parabole des aveugles* de Bruegel l'Ancien (1568), les vitraux des églises et des cathédrales, et les enluminures des moines illustrant les livres du Moyen Âge. Tous sont riches d'enseignements sur cette époque.

Pensez aussi aux caricatures d'Honoré Daumier au XIXe siècle (certaines sont exposées au musée d'Orsay).

→ **CONSEILS de LECTURE**

• La vie d'un troubadour en pays d'Oc : Jean-Côme Noguès, *Le Vœu du paon*, Pocket Jeunesse, 1997.

• La vie dans les écoles médiévales : Évelyne Brisou-Pellen, *Le Fantôme de maître Guillemin*, Gallimard Jeunesse, 1998.

• La vie des artisans lors de la construction d'une cathédrale : Martine Pouchain, *Meurtres à la cathédrale*, « Folio Junior », Gallimard, 2000.

• Une BD qui reprend la farce en accentuant les oppositions entre les personnages : Simon Léturgie, *La Farce du cuvier*, Vents d'Ouest, 2005.

Conception graphique
Couverture : Mélissa Chalot
Intérieur : GRAPH'in-folio

Édition
Fabrice Pinel

Mise en pages
APS

Dans la même collection

Dans la même collection (suite)

Achevé d'imprimer en Italie par «La Tipografica Varese Srl» Varese
Dépôt légal : Mai 2016 - Edition n° 02
31/1117/5